Deus trabalha no turno da noite

Título original: God Works The Night Shift

Edição original por Multnomah Book © 1994, por Ron Mehl.

Copyright da tradução © Editora Proclamação Ltda 2014

Todos os direitos reservados. Impresso no Brasil. Nunhuma parte deste livro pode ser utilizada, reproduzida ou armazenada em qualquer forma ou meio, seja mecânico ou eletrônico, fotocópia, gravação etc. sem a permissão por escrito da editora.

TRADUÇÃO: Neyd Siqueira
SUPERVISÃO EDITORIAL: João Carlos Conovalov
REVISÃO: Cristina Loureiro de Sá
ADAPTAÇÃO DE CAPA: Roger Conovalov
PROJETO GRÁFICO E DIAGRAMAÇÃO: Lura Editorial
ILUSTRAÇÃO DA CAPA: Andrea Ebert Gomes
Todos os direitos reservados.

As citações bíblicas foram extraídas da versão brasileira:
A Bíblia Sagrada (Antigo e Novo Testamento), Traduzida em português por
João Ferreira de Almeida, Revista e atualizada no Brasil – 3ª edição.

Catalogação na Fonte do Departamento Nacional do Livro
(Fundação Biblioteca Nacional, Brasil)

Mehl, Ron.
 Deus trabalha no turno da noite / Ron Mehl [tradução de Neyd Siqueira].
– São Paulo: Editora Proclamação, 2023.

Tradução de: God works the night shift
ISBN: 978-85-86261-41-1

1. Vida Cristã 2. Inspiração. 3. Devocional. I. Mehl, Ron. II. Título.

Todos os direitos reservados à Editora Proclamação Ltda
Rua Rafael Sampaio Vidal, 291 - Barcelona
São Caetano do Sul - SP - Cep: 09550-170
Fone: (11) 4221-8215
e-mail: contato@editoraproclamacao.com.br
www.editoraproclamacao.com.br

Ron Mehl

Deus trabalha no turno da noite

*Demonstrações do amor do Pai
mesmo enquanto você dorme*

"Como é reconfortante saber que Deus está sempre pensando em nós e sabe tudo a nosso respeito, mesmo nas noites mais sombrias de nossas vidas. *Deus Trabalha no Turno da Noite* é um livro notável, repleto de esperança para todo crente que luta e sofre."
Ted W. Engstrom, presidente emérito,
World Vision

"*Deus Trabalha no Turno da Noite* examina as verdades admiráveis do Senhor através das lentes da vida diária. Este livro é um encorajamento para encontrar um significado celestial em uma rotina terrena."
Mark Hatfield, senador de Oregon

"À medida que lia *Deus Trabalha no Turno da Noite*, senti-me imerso nas palavras de um autor amoroso e sensível... senti depois a mão de Deus na minha."
H. B. London Jr., Ministério V.P./ministérios pastorais, Foco na Família

"Ron Mehl se comunica em linguagem comum que abre a verdade divina para as necessidades diárias que todos temos."
Luis Palau, evangelista

"Rohn Mehl é um dos maiores encorajadores que você vai conhecer. Não posso pensar em ninguém em uma situação tão sombria que não encontre a luz neste livro. Ele brilha no escuro."
Jack W. Hayford, pastor senior
The Church on The Way

"Se quiser ser tocado na parte mais profunda de seu ser interior, leia *Deus Trabalha no Turno da Noite*. As palavras de Ron me fazem lembrar que o Espírito Santo aconselha meu coração ansioso: "Aquietai-vos... e sabei que sou Deus" (está tudo bem, estou aqui, estou no controle), "De maneira alguma te deixarei, nunca jamais te abandonarei"."
Jane Russell, atriz

"Ron Mehl tem um jeito de entrar pela porta de trás e surpreender-nos de pijama. *Deus Trabalha no Turno da Noite* goteja conselhos sábios dados por um coração sensível."
     Joseph C. Aldrich, presidente
     Multnomah Bible College

"Este é um livro simples e gostoso de ler. Esta leitura mostra o quanto Deus se importa com cada detalhe da sua vida, como Ele se lembra de tudo a seu respeito e do que está fazendo, como você está sempre diante dele e como Ele está trabalhando em sua vida. Sua mente está dizendo, "Não", "De modo algum", "Eu não"... mas, todo o tempo, seu coração implora, "Por favor, Deus, faça com que seja assim...". Refletindo bem, este é talvez, afinal de contas, um grande livro."
     Bem Kinchlow, coanfitrião.
     The 700 Club

"Fui abençoado com a leitura do livro de Ron Mehl Finais Surpreendentes e agora com *Deus Trabalha no Turno da Noite*. Este livro ilustra muito bem a soberania de Deus em nossas vidas."
     Jerry Pettibone, treinador chefe de futebol
     Oregon State University

"A obra de Deus se evidencia nos períodos positivos da vida. Este livro vai convencer você de que Ele também "trabalha no turno da noite"."
     Jackie Mitchum Yockey, coordenador
     senior. The 700 Club

"*Deus Trabalha no Turno da Noite* é um reflexo inspirador e considerado sobre a natureza protetora e amorosa do Senhor, sempre a postos, quer estejamos "adormecidos" em nossa cama ou "adormecidos" em nossa vida diária. A mensagem de Ron oferece conforto e segurança a todos aqueles que lutam com o medo, a solidão, a dúvida, o desespero ou doenças graves."
     David H. Regan, M.D.

DEDICATÓRIA

Este livro é dedicado ao meu estimado e querido amigo, Dr. Roy H. Hicks Jr., que partiu para estar com o Senhor no dia 10 de fevereiro de 1994 enquanto eu ainda não havia acabado este volume.

Este foi, sem dúvida, o período mais penoso de minha vida. No entanto, apesar de todas as circunstâncias, pude extrair conforto das palavras do apóstolo Paulo, que disse: "Vós sois a nossa carta, escrita em nossos corações, conhecida e lida por todos os homens... escrita não com tinta, mas pelo Espírito de Deus vivente, não em tábuas de pedra, mas em tábuas de carne, isto é, nos corações" (2 Co. 3.2-3).

Quando pessoas incrivelmente dotadas como Roy partem para estar com o Senhor, é comum ver livros publicados a seu respeito, detalhando suas vidas, filosofias e empreendimentos. Embora eu saiba que volumes possam ser escritos sobre o ministério profundamente abençoado de Roy, o fato é que eles provavelmente não serão.

Todavia, ele escreveu página por página em minha vida. Enquanto jogávamos beisebol juntos em Omaha quando meninos, passando tempo juntos na faculdade bíblica e tirando férias juntos já adultos com as nossas famílias, eu sempre soube que Roy me estimava. Ele orou diariamente por mim e fazia chamadas interurbanas quase todos os dias para saber como eu passava. Suas palavras encorajadoras e exemplo piedoso me ajudaram a sobreviver aos rigores do ministério de maneiras mais variadas do que tenho tempo ou espaço para mencionar.

Sob a orientação de Roy, o Faith Center em Eugene, Oregon, tornou-se uma das maiores igrejas do país. Com o ministério de Roy, mais de 60 congregações foram inauguradas. Ele foi um dos maiores comunicadores da Palavra que já conheci, e seu talento como compositor de músicas foi reconhecido por todo o corpo de Cristo. Embora tenha escrito inúmeras canções, ele é mais conhecido por ter feito uma das músicas mais apreciadas e cantadas no mundo cristão de hoje, "Louvai o Nome de Jesus".

Vejo em todo lugar, capítulo após capítulo, que Roy marcou profunda e indelevelmente a minha vida e a vida de outros. O impacto da sua personalidade continuará a ser sentido durante as décadas vindouras.

Embora um livro sobre Roy Hicks Jr. talvez não venha a ser escrito, sei que sua esposa Kay e seu filho Jeff, juntamente com minha esposa Joyce e meus filhos Ron e Mark, todos concordariam que isso realmente não importa. Nas palavras do apóstolo Paulo, somos um livro escrito e lido por todos os homens. Se tivéssemos escolha, preferiríamos ter a vida de Roy inscrita em nossos corações e não em um livro na estante.

Amamos Roy Hicks Jr.

Ron Mehl, Sr.
Amigo de Roy

ÍNDICE

O Turno da Noite 15
1. Ele Está me Tornando Mais Como Jesus 25
2. Ele Está Investigando Áreas
   Ocultas do Meu Coração 35
3. Ele Está Se Lembrando de Mim 47
4. Ele Está Segurando a Minha Mão 57
5. Ele Está Ouvindo a Minha Voz 69
6. Ele Está me Abençoando Para
   Que Eu Possa Abençoar Outros 75
7. Ele Vai Adiante de Mim 87
8. Ele Vai Atrás de Mim 97
9. Ele Está me Vigiando 105
10. Ele Está me Amando 115
11. Ele Está me Protegendo na Escuridão 123
12. Ele Está Movendo Outros a Orarem por Mim 135
13. Ele Está Monitorando Meus
    Pensamentos e Sentimentos 145
14. Ele Está Provendo Ajuda Incessante Para Mim 155
15. Ele Está me Curando 165
16. Ele Está Dirigindo Circunstâncias
    Desconhecidas Para Mim 177
17. Ele Está me Humilhando Para me Exaltar 189
18. Ele Está me Chamando Para a Santidade 199
19. Ele Está Preparando um Lugar Para Mim 211

PREFÁCIO

A morte recente, súbita e triste, do Dr. Roy Hicks Jr., a quem este livro é dedicado foi uma profunda perda tremenda.

Para Kay e Jeff Hicks ela significou a perda inesperada de um marido fiel e um pai amoroso. Para Steve Overman significou a perda de uum pai espiritual, alguém que fora, mais que nenhum outro, uma influência e força poderosa em sua vida.

Ron Mehl perdeu seu melhor e mais velho amigo.

Mas, "perdeu" talvez não seja apalavra certa.

Roy e Ron se conheceram quando tinham onze11 anos. Sua amizade continuou e cresceu através dos anos da faculdade bíblica e do ministério. Em anos recentesHá pouco tempo, Roy e Ron telefonavam um para o outro todos os dias, a fim de se encorajarem mutuamente. O relacionamento deles era como o de Davi e Jonatas. Quando alguém se aproximava para dar os pêsames pela morte do seu melhor amigo, a resposta de Ron era, – "Não perdi o meu melhor amigo. Quando você perde alguém não sabe onde ele está. Eu sei onde Roy se encontra.".

Ron Mehl, porém, não é um estranho no "turno da noite". Durante os últimos dez anos, ele tem tido sucessosido bem-sucedido em combater milagrosamente a leucemia, enfrentando a terrível ameaça para a sua família e sua própria vida;, suportando a agonia medonha dos tratamentos de quimioterapia e, ao mesmo tempo, cumprindo uma série de importantes compromissos de ministério que o levam diariamente aos momentos mais sombrios da existência.

Se você visitasse a Igreja Quadrangular de Beaverton na suburbana cidade de Portland, Oregon, perceberia imediatamente o motivo do seu enorme crescimento e, mais importante ainda, a razão delade ser há anos uma fonte de recursos para o Corpo de Cristo mais abrangente. A simplicidade, a pureza e o compromisso fervoroso que vier a sentir são um claro reflexo do coração e da vida de Ron.

É isso que mais amamos em Ron Mehl.

Em meio às turbulências destesdesses nossos tempos, quando tão poucas coisas parecem estáveis ou dignas de confiança, quando as pessoas em toda parte – até mesmo os crentes – estão se agarrando aos modismos que vão surgindo para fugir ao caos, Ron continuará ali, falando claramente do Senhor que ele ama e ajudando todos a confiar nele nos momentos difíceis.

Sra. Kay Hicks
Rev. Steve Overman
Faith Center, Eugene, Oregon.

AGRADECIMENTOS

Para mim, escrever um livro e trabalhar até altas horas da noite são sinônimos. Sou muito grato às seguintes pessoas pela sua boa vontade em trabalhar no turno da noite.

Um agradecimento especial ao presidente da Questar, Don Jacobson, e à sua esposa Brenda, que foram tão extraordinariamente abençoados e cujos corações voltados para Deus me comoveram muito. Sou também muito grato pela sua atenção para comigo, em publicar este livro.

À família da Questar: gostaria que cada autor tivesse a oportunidade de publicar um livro através dela. Ninguém merece ser tão bem tratado. A Steve Cobb, Doug Gabbert, Dan Rich e Eric Weber, cuja habilidade e talento extraordinários só são superados pelo seu amor a Deus. E a todas as secretárias, artistas, pessoal de vendas e marketing, que ajudam a fazer da Questar tudo o que ela é... uma luz em um mundo em trevas.

À Larry Libby, meu editor, que se tornou um de meus mais queridos amigos. Ele é para mim como Michelangelo. Tudo em que toca se transforma em obra-prima. Quando me sentia confuso e perdido, Larry estava ali para acender as luzes e me mostrar o caminho a seguir. Larry revisou livros para alguns dos mais renomados autores no mundo cristão hoje. Fiquei humildemente grato por ele ter consentido em se ocupar do meu livro *Deus Trabalha no Turno da Noite*. Larry é realmente o melhor.

Ao meu médico, David Reagan, que trata da minha leucemia e de quem gosto muito. Às enfermeiras e ao pessoal da Clínica de Hematologia do Providence Hospital em Portland, Oregon, pela sua bondade em cuidarem de mim.

Para Joyce, mãe de nossos dois filhos, que é a alegria das nossas vidas. Para nosso filho, Ron Jr., cujas criatividade e contribuições significativas aumentaram de modo expressivo o valor deste livro. Ele é um tesouro para mim. Para nosso filho Mark, cuja vida me ofereceu iem umeráveis ilustrações. Como Daniel na antiguidade, suas convicções inflexíveis e espírito de perseverança tornam este pai extremamente orgulhoso. Ele é um grande homem.

Para Bruce Parmer, M.D.; Dr. Dick Scott; Dr. N. M. Van Cleave; Ben Wilson, M. D.; Rev. Fred Donaldson e Rev. Chuck Updike, cujas amizade e sugestões foram de grande ajuda. Obrigado por terem sido uma grande bênção para mim.

À Gayle e Debbie, que são mais que secretárias, são enviadas de Deus. Minha vida seria um desastre sem elas.

E, finalmente, à grande congregação e às pessoas da Igreja Quadrangular de Beaverton, à qual tenho o privilégio de servir.

O TURNO DA NOITE

Era meia-noite em Last Chance, Colorado.

Não havia grande movimento, apenas uma velha caminhonete recheada com quatro estudantes universitários sonolentos, de pernas compridas, da faculdade bíblica.

Por sermos representantes da nossa escola naquele verão de 1964, estávamos atravessando o país em uma viagem de relações públicas. Todos nós jogávamos na equipe de basquete, cantávamos em um quarteto e fazíamos rodízio pregando e usando o projetor de slides. Quando terminamos o serviço em uma pequena igreja nos subúrbios de Denver naquela noite, já passava das 10h. Eu fora o pregador da reunião, o que significava recitar o Sermão. Meu único sermão. Alguma coisa sobre Davi e Golias. Eu já havia decorado o conteúdo, como é natural, e pregava tantas vezes a mesma coisa que se um dia tivesse laringite, qualquer dos colegas poderia ter dado a mensagem palavra por palavra, gesto por gesto, piadinha infame por piadinha infame.

Estávamos em um trecho estreito da Estrada 71, perto de Last Chance. Meu amigo Herb, com seus 1,90m de altura e 108 kg, tinha uma namorada que morava perto da estrada em Sterling. Nosso plano era acampar na sala de estar dela naquela noite.

Penso que poderia ter acontecido com qualquer um de nós, uma vez que estávamos todos exaustos, mas o nosso motorista dormiu na direção. No assento de trás, acordei quando o carro deu subitamente uma guinada para a direita e depois para a esquerda. Eu gritei algo e depois desmaiei quando nossa caminhonete avançou para o acostamento e caiu em um barranco, capotando várias vezes e depois ficando de pé no fundo, com a frente para a encosta.

Quando voltei a mim, a caminhonete ainda balançava e senti cair terra do teto sobre mim. Percebi que a luz estava ligada, que havida vidros quebrados por todo o lado, que minhas costas doíam, que os ponteiros luminosos do relógio do painel marcavam 12h02 e que eu estava completamente sozinho.

Sozinho? Por que estava sozinho? E os outros, para onde tinham ido?

A porta de trás, perto de mim, abriu-se de repente, mas não havia ninguém lá. Saí então do carro.

Estou ferido? Onde estou? Onde está todo mundo?

A lua cheia clareava a encosta coberta de relva, mas eu não conseguia ver ninguém. O choque e uma sensação de medo começaram a roer minhas entranhas.

Ouvi então alguma coisa. Uma espécie de gemido ou soluço. Segui o som e encontrei Joe. Joe era também um sujeito grandalhão – 1,86m e 113 kg. Mas aquela coisa no mato não parecia com o Joe que eu conhecia. Seu rosto, à luz do luar, era uma máscara de sangue. Ele olhava para mim.

– Ron – gemeu – Ron, ajude-me.

Ele levantou as mãos para mim e o sangue correu pelos seus braços. Joe parecia um monstro saído de um filme de horror. Lembro-me de ter desejado correr – só virar o corpo e ir embora daquele lugar tão depressa quanto podia, e de alguma forma apagar aquela cena da minha mente. Jamais tinha ficado com tanto medo em minha vida.

– Ron – gritou Joe, levantando aquela mão sangrenta. Eu a tomei e fiquei segurando. Então ouvi novamente alguém gemendo.

– Espere um pouco, Joe – disse eu – volto já.

A alguns metros do outro lado do carro encontrei Herb. Sua perna estava torcida em um ângulo estranho e ele parecia sofrer terrivelmente. Jim estava ali perto. No entanto, nenhum dos dois parecia tão mal quanto Joe.

Voltei para onde Joe estava e fiquei sentado junto dele, certo de que ele não iria – não poderia – viver por muito tempo. Em algum lugar eu aprendera que as pessoas feridas deveriam ficar acordadas. Eu disse:

– Vamos recitar alguns versículos, Joe. Você se lembra deste? – comecei a dizer então todos os versículos bíblicos que podia lembrar.

Enquanto fiquei ali sentado, segurando a mão de meu amigo, comecei a perceber como nossa situação era terrível. Já era tarde da noite. Estávamos em um campo escuro. A 71 era um trecho deserto da estrada.

> "SENHOR, ESTÁ ESCURO AQUI E TEMOS PROBLEMAS. NINGUÉM SABE ONDE NOS ENCONTRAMOS. MAS, SENHOR, TU SABES ONDE ESTAMOS."

Comecei a orar: – Senhor, está escuro e estamos com problemas. Ninguém sabe onde nos encontramos. Ninguém viaja por esta estrada. Ninguém virá aqui. Mas, Senhor, Tu nos vês. Tu sabes onde estamos. Ajuda-nos Senhor. Por favor, precisamos da Tua ajuda.

Cinco minutos depois ouvi algo à distância. Um carro? Subi pelo barranco e cambaleei para a estrada. Era um carro! Eu podia ver os faróis se aproximando. Fiquei no meio da estrada e sacudi os braços como louco. O carro parou e um jovem, com cara de assustado, baixou o vidro e olhou para mim.

– Tivemos um acidente, gaguejei. Nosso carro caiu lá embaixo... meus amigos estão muito feridos. Graças a Deus que você apareceu!

O homem desceu o barranco, enquanto sua mulher foi até a casa de fazenda mais próxima para chamar uma ambulância. Enquanto esperávamos, o homem conversou comigo.

– Quero contar-lhe uma coisa surpreendente, disse ele. Minha mulher e eu estávamos em um acampamento esta noite. Depois do culto, nós nos olhamos e dissemos: "Vamos pegar o caminho mais longo de volta. O luar está lindo, vamos passear um pouco". É estranho, porque nunca pegamos esta estrada, especialmente esta hora da noite.

Tudo o que eu podia pensar é que Deus ouvira a oração trêmula de Ron Mehl – em nosso perigo, em nosso sofrimento, em nosso isolamento, no escuro. Ele estava trabalhando. Trabalhava no turno da noite.

Você já trabalhou no turno da noite? É um pouco estranho.

É levantar no fim do dia e ir para a cama ao nascer do sol.

É tomar mingau de aveia e suco de laranja enquanto a maioria das pessoas está comendo macarrão e ervilhas.

É um mundo diferente do turno do dia.

Na cidade, o trânsito diminui, o ar fica mais frio, e os compradores retardatários somem gradualmente na escuridão. Fora da cidade, nos subúrbios, a vizinhança fica silenciosa, as calçadas vazias. Você pode ouvir um cão a seis quarteirões de distância, latindo para o que quer que perturbe os cães à noite.

A maioria das janelas fica às escuras. A maioria dos carros está na garagem. A maioria das pessoas já dorme.

Mas, nem todos.

Não os do turno da noite.

• No terceiro andar de um hospital suburbano, uma enfermeira de branco pisa no linóleo polido da unidade de tratamento intensivo, seus sapatos macios de couro quase não fazem barulho enquanto se movimenta de leito em leito. Seus olhos experientes observam monitores, gráficos, frascos de soro, luzes pulsantes, e os rostos abatidos dos homens e mulheres sedados.

• Um padeiro na cozinha de uma confeitaria no centro da cidade coloca uma bandeja de bolinhos no forno, depois espalha chocolate granulado sobre uma dúzia de rosquinhas cor-de-rosa para os clientes sonolentos que entram tropeçando pela porta de madrugada. Ele cantarola, acompanhando a música do rádio, enquanto um calor delicioso e perfumado enche o pequeno aposento dos fundos e invade a noite.

• Sob a luz forte e artificial das lâmpadas de mercúrio, uma turma de operários se apressa em fazer reparos na rampa de saída de uma grande ponte da cidade. Em breve, habitualmente, a primeira leva de trabalhadores vai passar velozmente por ali, sem um pensamento sequer para os que labutaram a noite inteira a fim de possibilitar sua passagem.

• Um homem com a barba por fazer, vestido de roupão, em um quarto no sobrado, verifica a água em um vaporizador e depois se curva sobre o berço para ouvir novamente o respirar ofegante de seu filhinho de 9 meses. No quarto ao lado, a mulher esgotada cai em sono profundo enquanto o papai faz seu turno da noite.

• Um jovem soldado em um posto de escuta no perímetro do seu acampamento treme de frio na escuridão úmida. Ele muda um rifle automático de um braço para o outro e esfrega com as mãos as pálpebras pesadas. Cochilar está fora de questão; o risco é muito grande. É a sua vigília, o inimigo está à espreita, e a vida de seus colegas adormecidos está em suas mãos.

• A 42.000 pés de altura sobre o mar enluarado, o piloto de um jato vira duas chaves, murmura uma afirmativa para um controlador de tráfego aéreo distante, puxa uma alavanca e guia sua aeronave de modo a fugir de uma área de turbulência que está se formando no horizonte. Enquanto 358 almas dormem na semiescuridão às suas costas, ele observa as estrelas, o oceano negro e prateado lá embaixo, e aceita com gratidão a xícara de café quente das mãos da aeromoça.

• Muito antes de o dia nascer, uma mãe insone levanta da cama e cai de joelhos no tapete. No silêncio pesado, ela murmura uma oração por uma filha em uma cidade distante, desesperadamente infeliz, talvez em perigo.

É o turno da noite.

É um policial em uma ronda, percorrendo as ruas escuras, varridas pela chuva em uma tempestade.

É um jovem pai em uma serraria, trabalhando no único emprego que encontrou para sustentar a família.

É uma turma do Corpo de Bombeiros, com o equipamento pronto, esperando o telefone tocar.

É um DJ de uma estação FM, apertando botões, mesclando CDs e lendo a previsão do tempo do dia seguinte para uma audiência vasta e invisível, espalhada por três estados, esperando ouvir uma voz amiga à noite.

É possível que alguns de nós não pensemos muito nesses homens e mulheres que trabalham enquanto dormimos. Podemos tomá-los como certos, mas eles estão em seus postos, do mesmo jeito. Eles batem o cartão de ponto quando chegam e quando vão embora. Seus olhos estão abertos e alertas enquanto os nossos se fecham. Eles estão colocando as roupas de trabalho enquanto vestimos pijamas. Estão em algum lugar "lá fora" todas as noites do mundo, e precisamos e dependemos deles mais do que pensamos.

Mas eu conheço outro alguém que trabalha no escuro.

Foi algo que aprendi em meio a um pesadelo em um lugar chamado Last Chance ("Última Oportunidade") e 10 mil vezes mais desde então.

Deus também trabalha no turno da noite.

Já pensou nisso? Ele está ocupado enquanto você dorme. Ele está a postos enquanto você sonha. Ele está completamente ligado enquanto você tirou o plugue da tomada. O salmista explica assim: "Não dormitará aquele que te guarda. É certo que não dormita nem dorme o guarda de Israel" (Sl. 121.3-4).

Este é o Deus que se move fora do nosso campo de visão e se ocupa com tarefas além do nosso entendimento. Seus olhos observam o que não podemos ver e suas mãos trabalham habilmente onde só podemos tatear. Este é o Deus que se estende, que pensa, planeja, molda e vigia, controla, sente e age, enquanto estamos inconscientes debaixo de um lençol e um cobertor.

Mas não pense que Ele está lá fora cuidando de buracos negros e quasares, ou mexendo em moléculas de hidrogênio em galáxias distantes. Deus trabalha no turno da noite por você. Ele fica ocupado a noite inteira pensando em você. O interesse dele em você não diminui de jeito nenhum! Ele está ocupado por sua causa, mesmo quando você não percebe, mesmo quando não está fazendo absolutamente nada. Quando se trata da sua vida, Ele jamais deixa de observar, dar, dirigir, guardar e planejar. "Eu é que sei que pensamentos tenho a vosso respeito, diz o Senhor; pensamentos de paz, e não de mal, para vos dar o fim que desejais" (Jr. 29.11).

Quando você acorda de manhã, quando abre os olhos, sua mente desperta pode apegar-se a este pensamento: Deus trabalhou a noite inteira por sua causa.

Davi voltou a essa verdade básica repetidas vezes no período turbulento como fugitivo: "Deito-me e pego no sono", escreveu ele. "Acordo porque o Senhor me sustenta... Em paz me deito e logo pego no sono, porque, Senhor, só tu me fazes repousar seguro" (Sl. 3.5; 4.8).

E eu? Eu sei que Ele está trabalhando. Sei que Ele está no seu posto. Inúmeras vezes, porém, não tenho ideia do que Ele está fazendo. Para ser franco, há ocasiões em minha vida em que Ele não parece estar fazendo muita coisa. Fixo os olhos nas trevas sombrias de minha frustração, tristeza ou confusão e não posso ver nada – talvez meus olhos não enxerguem bem à noite.

Algumas vezes você talvez se pegue dizendo: – Deus parece estar fazendo horas extras, trabalhando nos feriados e nos fins de semana em outros. Mas, se Ele está atuando em minha vida, é o mesmo que colocar um cronômetro em uma geladeira. É como ver a hera crescendo na parede de um prédio de tijolos. Ela cresce tão devagar que não posso saber se alguma coisa está realmente acontecendo. Muitas vezes, em sua vida, tudo parece um tédio sem fim, enquanto a vida de outros é uma grande aventura. Outros falam de Deus fazendo isto e aquilo, ensinando-lhes verdades profundas, dando-lhes canções à noite e murmurando palavras de sabedoria e consolo. Mas para você... tudo continua mais ou menos escuro e quieto.

Se um inventário ocasional da sua vida o levar a dizer: "Deus não está trabalhando aqui", então quero fazer uma pergunta:

– Você sabe que Ele está?

Essa pode ser uma pergunta muito difícil para responder na afirmativa. Você anseia pela maturidade, mas sente que continua sentado em uma carteira na escola primária de Deus.

Você está lutando contra um vício, desejando a libertação, mas ainda não conseguiu.

Você tem se esforçado para consertar seu casamento, mas inutilmente.

Você esperou meses – talvez anos – pela volta de um filho pródigo; todavia, seu quarto continua vazio e vago o seu lugar na mesa.

Você entregou seus negócios a Deus da melhor maneira que pôde, mas enfrenta agora a sombra da falência.

Você tem vontade de dizer: "Se Deus está trabalhando em minha vida, certamente não consigo ver isso".

Mas entenda. Mesmo que não apareçam cartazes com o dizer "Em construção", nem sinais de máquinas pesadas em ação, nem o som de martelos celestiais ao fundo, o Arquiteto e Construtor-Mestre está sempre trabalhando ativamente em nós.

Policiais, pilotos e enfermeiras não são os únicos que fazem parte do turno da noite. Deus também faz. Ele vem agindo assim há séculos. Sua linha de tempo parece caminhar como uma lesma e Seu trabalho – assim como o de um artista – fica escondido por uma lona, mas Ele está a postos.

Deus conhece as suas circunstâncias e se move entre elas.

Deus conhece o seu sofrimento e monitora cada segundo dele.

Deus conhece o seu vazio e procura enchê-lo de um modo que supera qualquer dos seus sonhos.

Deus conhece suas feridas e cicatrizes e sabe como curá-las mais profundamente do que possa imaginar.

Na verdade, essa é a ideia que este livro quer transmitir. Alguns livros são muito complicados e técnicos, tentando resolver uma porção de coisas. Este não é assim e não faz isso. Ele apenas repete uma mensagem básica de 19 ângulos diferentes (pois alguns de nós levamos tempo para entendê-la). Trata-se apenas de um modo simples de dizer: "Deus está mais ocupado em sua vida do que você jamais poderá ver ou saber".

Em outras palavras, Deus trabalha no turno da noite.

Mesmo quando nada parece estar se movendo na sua escuridão.

Mesmo quando a sua situação parece fora de controle.

Mesmo quando se sente sozinho e com medo.

Mesmo em Last Chance, Colorado.

CAPÍTULO UM

ELE ESTÁ ME TORNANDO MAIS COMO JESUS

"Porquanto aos que de antemão conheceu, também os predestinou para serem conformes à imagem de seu Filho."

ROMANOS 8:29

Quando nossos filhos eram crianças, eles costumavam passar boa parte do seu verão na fazendo dos avós em Louisiana. Para dois garotinhos, um verão na fazenda é o que de mais próximo do céu se pode obter na terra.

Uma das maiores atrações do lugar era sua extraordinária população de insetos. Você não sabe nada de insetos enquanto não tiver passado um verão em Louisiana. As cigarras zumbem nas árvores nas tardes mormacentas... frágeis libélulas voam apressadas por sobre as águas do pântano... aranhas vesgas e de peito penugento se escondem nas sombras... batalhões de formigas vermelhas e pretas travam combates mortais por trás do estábulo... mantídeos de aparência extraterrestre se agarram às telas... e 1 milhão ou mais de besouros de olhos saltados, multicoloridos, rastejam entre as ervas e a poeira do chão, pedindo para ser capturados em um vidro de compota.

Jamais me esquecerei do dia em que Ron e Marc entraram correndo pela casa com uma lagarta verde, enorme. Eles já estavam arquejando e bufando na mesa da cozinha, com os olhos brilhantes de excitação, antes que a porta de tela se fechasse.

Enquanto eu estava ali sentado, bebendo limonada, eles colocaram orgulhosamente seu novo refém sob meu nariz para um exame paternal.

– Olhe, pai! – exclamou o pequeno Marc – Uma borboleta!

– Não, filho – eu corrigi – não é uma borboleta. Pelo menos não por enquanto. É uma linda lagarta.

Os dois meninos se recusaram, porém, a ser dissuadidos. (Onde será que eles arranjaram esse gênio teimoso?) Tinham capturado uma BORBOLETA e ponto final. Não havia explicação possível que os convencesse de que somente na hora apropriada ela iria transformar-se no inseto esvoaçante mencionado por eles.

Para provarem isso, suponho, decidiram agir. Na verdade, inventaram um plano para apressar o processo natural. Em primeiro lugar arranjaram um pedaço de cartolina e – com o que julguei uma grande atenção aos detalhes – escolheram uma cor que combinava com a coloração natural da lagarta. Em seguida, desenharam cuidadosamente pequenas asas e cortaram ao longo da linha pontilhada com a tesoura da melhor forma possível. Finalmente, pregaram as asas com fita adesiva na criatura. (Porque, explicaram, a fita adesiva era mais leve do que a fita crepe, e também transparente, para deixar de combinar com a cor escolhida.)

Estava na hora de a lagarta pavonear-se diante dos espectadores. Os meninos esperaram, prendendo a respiração, que ela batesse as asas protéticas e circulasse pela cozinha. Mas, por alguma razão, ela não parecia ganhar altitude. Não voou. Não flutuou. Não esvoaçou. Para falar a verdade, estava tendo problemas em fazer com que as suas 78 patas andassem em uníssono. Enquanto o inseto confuso cambaleava sobre a mesa, seus giros desesperados balançavam um pouco as asas, fazendo com que elas sacudissem.

– Está vendo? – os meninos gritaram entusiasmados – Uma borboleta!

Não me deixei convencer. "Não!" – disse eu – "Não é uma borboleta. Continua sendo uma lagarta. Uma lagarta esquisita!".

– Oh, papai!

Alguém me contou que um grupo de pesquisadores estudou certa vez cem lagartas que estavam prestes a sair da crisálida. Em lugar de permitir que elas se esforçassem, os observadores cortaram delicadamente o invólucro e as libertaram. Depois disso, colocaram os insetos sobre uma mesa e tentaram fazê-los voar. Mas nenhum conseguiu. Nenhum.

O pequeno estudo demonstrou que o período de esforço e luta através das paredes do casulo é que dá às asas da borboleta forças para voar. O próprio esforço – todos os movimentos de empurrar e debater-se – do inseto para libertar-se da prisão é que torna a sua nova vida possível. Sem o conflito não há força.

A maioria de nós pode identificar-se com esses períodos sombrios de luta.

Sentimo-nos abatidos, frustrados e confinados. Ficamos cansados de lutar e labutar, imaginando o que Deus está querendo fazer em nossas vidas. É mais ou menos nessa hora – quando estamos em meio a alguma perplexidade penosa ou grande decepção – que algum cristão bem-intencionado se aproxima e sussurra um certo versículo da Escritura em nosso ouvido.

Você pode imaginar que versículo é esse? No geral, o que eles sussurram é o versículo de que menos gosto na Bíblia, Romanos 8.28. Aposto como alguém já o mencionou para você algumas vezes também. "Sabemos que todas as coisas cooperam para o bem daqueles que amam a Deus, daqueles que são chamados segundo o seu propósito".

Francamente, não quero escutar isso quando estou sofrendo. Não quero ouvi-lo quando estou triste. Não quero ouvi-lo quando as circunstâncias puxam o meu tapete e me deixam confuso e desorientado, caído de costas no chão.

A verdade é que Romanos 8.28 não passa da metade de um pensamento. Romanos 8.28 não ajuda ou encoraja muito a não ser que você o ligue com a outra metade do pensamento – Romanos 8.29. A razão do versículo 28 é o versículo 29. Todas as coisas COOPERAM, desde que você saiba o objetivo dessa cooperação! Nós somos chamados "segundo o Seu propósito", mas qual é este propósito? O versículo 29 esclarece: "Porquanto aos que de antemão conheceu, também os predestinou para serem conformes à imagem de seu Filho, a fim de que ele seja o primogênito entre muitos irmãos".

O que Deus está fazendo em minha vida? O que Ele está fazendo na sua? Ele só pretende uma coisa, uma única coisa. Ele está tornando você e eu mais parecidos com o Seu Filho. Ponto final.

Ele não está pretendendo fazer cinco, 15 ou 27 coisas. Seu propósito não é me tornar um pregador melhor. Seu propósito não é fazer de você um pai ou mãe, esposa ou marido, filho ou filha melhor. Seu propósito não é transformar você em melhor secretária, policial, professor, pedreiro ou cirurgião do mundo. Ele não está trabalhando no escuro para lhe dar posição, prosperidade e paz. Ele está usando Seu poder e Sua vontade com um só propósito, conformar você e eu, seus filhos adotivos, à imagem do Senhor Jesus. Ele pode agradar-se em ajudar você a tornar-se uma mãe, pai, médico, jogador de basquete, ou professor da escola dominical maravilhoso, mas não é isso que pretende. Seu grande objetivo em sua vida – a razão de deixar você na terra – é torná-lo mais e mais como o Filho de Deus eterno.

Se não fosse por isso, por que Ele não nos dá um bilhete expresso para o céu no momento em que recebemos a salvação em Cristo? Por que não nos poupa dos sofrimentos e pesares?

Ele quer que nos tornemos maduros em Cristo, realizados e completos. Como ilustração, você poderia perguntar por que Deus não dominou imediatamente a Terra Prometida quando os israelitas atravessaram o Rio Jordão? Por que havia ainda inimigos a serem enfrentados? Por que havia ainda terra não cultivada? Por que havia ainda animais selvagens a serem expulsos das matas?

Deus sabia então (como sabe agora) que é o exercício da fé e a dependência do Seu poder e libertação que produzem maturidade e força em nossas vidas. De fato, é exatamente isso que nos conforma a Cristo. Mostre-me alguém que nunca enfrentou qualquer dificuldade ou oposição e lhe mostrarei alguém cuja vida é apenas superficial. Eu lhe mostrarei alguém que tem um longo caminho a andar em direção à semelhança de Cristo.

Calebe, aos 80 anos, teve de enfrentar o desafio dos inimigos a serem vencidos. Ouça suas palavras registradas no livro de Josué; elas são clássicas:

"Eis que agora o Senhor me conservou em vida, como prometeu; quarenta e cinco anos há desde que o Senhor falou esta palavra a Moisés, andando Israel ainda no deserto; e já agora sou de 85 anos. Estou forte ainda hoje como no dia em que Moisés me enviou; qual era a minha força naquele dia, tal ainda agora, para o combate, assim para sair a ele, como para voltar. Agora, pois, dá-me este monte de que o Senhor falou naquele dia; pois naquele dia ouviste que lá estavam os enaquins e grandes e fortes cidades; o Senhor, porventura, será comigo, para os desapossar, como prometeu" (Js. 14.10-12).

Gigantes enormes e terríveis na terra? Deixe que eu cuido deles. Montanhas a escalar e cidades fortificadas a conquistar? O que estamos esperando? Traga o meu bordão e vamos! Mesmo na velhice, Deus continua trabalhando em você. Ele continua conformando e moldando você através dos seus desafios e provações. Ele continua trabalhando de dia e de noite para torná-lo cada vez mais como Jesus. No que diz respeito ao propósito de Deus para a sua vida, você jamais se "aposenta".

Abrão não era nenhum rapazinho de 20 anos quando enfrentou sua maior prova. Já estava bem velho quando recebeu a ordem para sacrificar Isaque, seu filho bem amado. Josué já tinha idade quando ficou de pé na porta de sua casa e disse aos anciãos de Israel: "Vocês podem ir para onde quiserem e fazer o que quiserem, mas eu e a minha casa serviremos ao Senhor!" (Js. 24.15).

Quer você tenha 49 ou 94 anos, Deus ainda desejará que tome posições impopulares, tome decisões difíceis, e enfrente corajosamente os ventos uivantes da adversidade. A cada momento de dor e de luta, Ele está tornando você semelhante ao Seu Filho.

Por que estou repetindo esse pensamento? Porque não podemos perder a perspectiva! Se você estiver se apegando apenas a Romanos 8.28, pode perder de vista o propósito de Deus. Todas as coisas cooperam para o bem? Como pode ser isso? Não diga tal disparate! O que é "bom" nessa tragédia, provação ou revés? Se não ler o versículo 29, vai tatear no escuro.

Quer você seja jovem ou idoso, um crente recém-nascido ou um santo experimentado, lembre-se sempre e sempre, que só há uma coisa nas provações pelas quais está passando agora: Deus está trabalhando no escuro e Ele está fazendo uma só coisa – Ele está moldando você, para que se assemelhe ao Príncipe da Paz, à Brilhante Estrela da Manhã. Se não voltar repetidamente à rocha de Romanos 8.29, acabará tendo um colapso nervoso. Ficará desanimado e deprimido. Mas, se souber que Ele vai usar isto ou aquilo, ou aquele outro, para torná-lo semelhante ao Salvador, então terá consolo no fato de que nada em sua vida é desperdiçado – nenhum esforço, dor, momentos de angústia, ou lágrimas jamais se perderá em algum lugar do espaço sideral.

Mas e se eu achar que nada está acontecendo em minha vida? Se não puder ver que Ele está me tornando mais como Jesus?

Em algum ponto você tem de decidir, posso crer na Palavra de Deus? Paulo disse: "SABEMOS que todas as coisas cooperam para o bem". Sabemos. Não "achamos". Não "esperamos". Não "supomos". Não "sentimos" nem "experimentamos".

Sabemos.

É bom você manter a palavra "sabemos" em seu vocabulário espiritual. Quando não sentir que Deus está trabalhando no turno da noite por sua causa, e se achar tateando no escuro, você vai precisar de algumas coisas gravadas em sua alma. Penso ser esta a razão de Paulo escrever na escuridão e mau cheiro de um calabouço romano: "Por isso estou sofrendo estas coisas, todavia não me envergonho; porque sei em quem tenho crido, e estou bem certo que ele é poderoso para guardar o meu depósito até aquele dia" (2 Tm. 1.12).

As circunstâncias gritavam para Paulo: "Você está sozinho. Está no escuro. Está na prisão. Está abandonado. Seu corpo foi tão espancado, ferido e abusado que não pode mover um músculo sem sentir dor. Você não tem nada no banco como resultado do seu trabalho. Vai morrer sem mulher ou filhos para chorarem por você. Foi esquecido pela maioria de seus amigos. Sua execução está por um fio".

Paulo, no entanto, sentado na escuridão da cela, com sentimentos que iam provavelmente da esperança à tristeza, ao medo, à depressão, disse: – Ouçam, pode haver muitas coisas que eu não sei nem compreendendo, mas sei isto. Sei em quem tenho crido. Conheço Aquele a quem entreguei minha vida. Sei que ele é capaz de tomar aquilo que lhe entreguei no escuro e fazer com que tudo coopere para o bem da claridade.

É no escuro que Ele faz com que você se pareça mais com Ele. Você talvez diga: – Nada de bom acontece de noite. É nessa hora que os gatos são atropelados e as calotas são roubadas. Nada disso. Algo bom acontece no escuro. Deus está fazendo a Sua maior obra. Conformando você à imagem radiante, eternamente bela de Seu Filho. Embora você não possa ver ou compreender, é isso que Ele está fazendo.

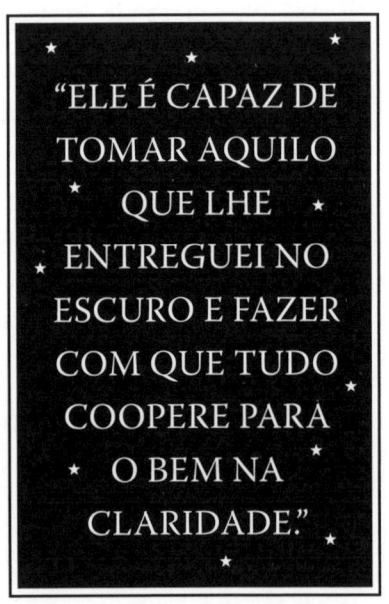

> "ELE É CAPAZ DE TOMAR AQUILO QUE LHE ENTREGUEI NO ESCURO E FAZER COM QUE TUDO COOPERE PARA O BEM NA CLARIDADE."

A maioria dos artistas de quem ouvi falar gosta de muita luz em seus estúdios. Eles apreciam grandes janelas e claraboias, luz dirigida para iluminar o que estão pintando, esculpindo ou moldando. Todavia, Deus cria as suas obras-primas no escuro, no turno da noite.

Você é a tela.

A tinta e os pincéis são as suas provações e o sofrimento.

O retrato é do Seu Filho.

CAPÍTULO DOIS

ELE ESTÁ INVESTIGANDO ÁREAS OCULTAS DO MEU CORAÇÃO

Pois dizes: Estou rico e abastado, e não preciso de coisa alguma, e nem sabes que tu és infiel, sim, miserável, pobre, cego e nu."

APOCALIPSE 3:17

oyce e eu estávamos procurando uma casa nova e a ideia me preocupava.

Não se trata de não querermos nem precisarmos de um novo lar. Nós havíamos morado na mesma vizinhança, na mesma esquina, nos mesmos cômodos apertados e sem quintal durante quinze anos. A casa, no entanto, apesar de pequena, era bonitinha e nos sentíamos gratos. Mas "bonitinha" e "pequena" deixam um sujeito irritado depois de uma década e meia, e estávamos prontos para agradecer por algo novo.

O que me preocupava era o medo de cometer um erro. Eu sabia que Joyce tinha uma lista das coisas que nossa família iria precisar em uma casa e que eu tinha de ficar alerta quanto aos pontos essenciais, porcas e parafusos, tipo de estrutura etc.

Mas eu sou um pregador, não um carpinteiro.

Como poderia ter certeza de que não iríamos comprar algo que viesse a desmoronar em cima da gente depois de cinco anos? Você sabe o que acontece com as casas velhas. Há coisas que não deveriam estar ali, mas estão. Há coisas que deveriam estar e não estão. E este velho pastor sabe tanto sobre essas "coisas" quanto sabe sobre salto com vara ou navegação com um sextante.

Confiei meus temores a um amigo íntimo e ele apenas sorriu.

– Ron – disse ele – quando estou caçando patos, pego a picape e levo comigo minha espingarda e meu cachorro fiel, o Rex. Quando estou procurando um carro novo, jamais me esqueço de ler o último exemplar de Conselhos ao Consumidor. E quando é uma casa que procuro nunca deixo de falar com o velho Tio Ernie.

Tio Ernie? Pensei. Bem, por que não? Ele deve saber muito mais do que eu. Perguntei delicadamente se podia tomar emprestado o Tio Ernie durante uma tarde de sábado, a fim de examinar uma casa no campo anunciada no Jornal. (Eu teria pedido emprestado o cachorro Rex também, se achasse que ele seria útil.)

Meu amigo disse: "Deixe comigo".

O Tio Ernie chegou pontualmente com seu rosto gasto pelo tempo, em uma picape General Motors confortavelmente surrada e com um sorriso amável, de dentes separados. Ele usava um boné de beisebol que já vira dias melhores, uma camisa de flanela verde e calças jeans com uma daquelas marcas em anel no bolso da direita, mostrando que gostava de mascar fumo.

Quando estávamos a caminho para ver a casa, Tio Ernie ficou falando sem parar sobre os anos da Grande Depressão, a Segunda Guerra Mundial, sua opinião sobre cada presidente desde Ike, como restaurar um carro velho e finalmente o que procurar em uma casa sólida.

Quando paramos na pequena casa campestre, minha mulher e eu ficamos agradavelmente surpresos. Nós dois olhamos para a casa, olhamos um para o outro e sorrimos.

Do assento de trás, Tio Ernie deu uma risadinha.

O corretor já estava lá e entramos então apressados com o Tio Ernie à tiracolo, ansiosos para ver o interior da linda casa branca da fazenda. Enquanto examinávamos os quartos, tomávamos as medidas e apreciávamos a vista, Ernie encostava o nariz nos batentes das portas, resmungava debaixo das pias, e parecia querer subir pela chaminé. Enquanto ia mostrando os aposentos da casa, o corretor olhava de esguelha para nosso pequeno amigo. Quando Ernie começou a bater o pé em volta do toalete, me senti embaraçado. E agora? Pensei. Será que ele não está exagerando um pouco?

De repente, sem esperar, ele desapareceu.

Para onde será que ele foi? Imaginei. Está no armário? No sótão? Na chaminé?

Esquecemo-nos dele por algum tempo, enquanto discutíamos as opções financeiras com o agente de bens imobiliários. Joyce e eu gostamos de conversar sobre um assunto antes de tomar uma decisão séria; mas, na verdade, tudo parecia ótimo. Eu não conseguia reprimir um sentimento de entusiasmo pela casa.

Quando chegou a hora de apertar as mãos e dizer adeus, o Tio Ernie não estava à vista em lugar algum. Fomos para a varanda, ainda conversando com o corretor. Nada do Ernie. Descemos devagar a rampa da garagem. Ainda nada. O que ele fizera? Pegara carona de volta para casa?

Finalmente, quando chegamos perto do carro, a cabeça dele apareceu subitamente em uma pequena abertura do alicerce. Então, com o boné de beisebol torto, ele rastejou pelo espaço livre sob a casa. Com uma piscadela e um aceno de cabeça, Tio Ernie entrou no assento de trás.

A princípio, a viagem de volta foi silenciosa. Minha mulher e eu não pudemos esconder nosso espanto. Entreolhamo-nos com as sobrancelhas levantadas. O Tio Ernie estava coberto de poeira e teias de aranha da cabeça aos pés, e havia uma folha seca grudada no cabelo ralo que aparecia por baixo do boné. Finalmente pigarreei e fiz a pergunta óbvia.

– Olha, Ernie, ficamos imaginando o que você estava fazendo debaixo da casa enquanto examinamos os quartos. Pensamos que iria ficar olhando a casa conosco.

Tio Ernie estendeu a mão para o rolo de fumo; depois, aparentemente lembrando que estava na companhia de um pregador, restringiu-se visivelmente.

– Olhe, filho, a casa era bonita do lado de cima, com toda aquela tinta fresca e bugigangas. Mas tudo isso é apenas a cobertura do bolo. Só porque a cobertura é bonita não significa que o bolo é gostoso, não é? Tudo que está do lado de fora é fácil consertar e ajeitar. Algumas coisas mais importantes a serem vistas, porém, estão debaixo da casa. É preciso verificar quanto à existência de cupim, roedores, deterioração por fungos etc. é também necessário verificar os alicerces, os encanamentos e os dutos. Olhem... detesto decepcionar vocês, mas essa casa está nas últimas. É uma verdadeira armadilha. Um poço sem fundo para levar embora o seu dinheiro. Eu não a compraria de jeito nenhum. E agora, que tal almoçarmos?

Joyce e eu ficamos surpresos e também desapontados. Era uma casinha tão aconchegante e alegre, com uma vista belíssima. Era branca, e eu sempre gostei de casas brancas. Tinha uma varanda – exatamente como as casas em Minnesota, onde eu cresci. No fundo havia uma linda macieira e amores-perfeitos nos canteiros. As cortinas da cozinha eram franzidas. Ela tinha personalidade. Podíamos ver nossa família se acomodando perfeitamente ali dentro. E, mais ainda, tínhamos dinheiro para comprá-la.

No entanto... por que havíamos tido o trabalho de tomar emprestado o Tio Ernie? Não entendíamos nada de construção e das necessidades estruturais por baixo da casa. Por mais difícil que fosse admitir, Tio Ernie estava provavelmente certo. Toda a maquiagem podia ser melhorada com um "toque" superficial. Se você não souber o que deve procurar e exatamente onde deve olhar debaixo do assoalho e entre as paredes, não poderá ver todas as falhas e danos irreparáveis sofridos pela casa através dos anos. O ponto das investigações de Ernie, tive finalmente de admitir, é que elas não foram superficiais; ele sabia o suficiente para verificar tudo. E, pelo preço de um sanduíche e um milk-shake, ele sem dúvida salvou a família Mehl de muitos problemas.

O Tio Ernie é um ótimo inspetor de casas porque sabe que o valor de um imóvel não está naquilo que pode ser visto, mas no que não aparece. Ele sabe que tinta branca, papel de parede florido e amores-perfeitos ao longo da entrada, assim como cortinas franzidas e anjos nas janelas não significam muito no contexto final. Ele sabe que, ao examinar o sótão, você fica sabendo se a estrutura é sólida. Sabe que, olhando debaixo da varanda, pode observar se os alicerces estão bem firmes. Sabe se a casa vale o preço pedido e pode dizer com um olhar o que está certo e o que está errado. Ele teve anos de experiência observando por sobre as vigas e debaixo das tábuas do assoalho.

No entanto, ele não é o único que sabe se arrastar por baixo das casas ou verificar chaminés. A doutrina do "exame do coração" foi uma das mensagens mais controversas que Cristo trouxe ao mundo. Em uma cultura onde as aparências externas eram tudo, Jesus abalou os líderes religiosos desde a cabeça até os pés bem calçados em sandálias.

> "Ai de vós, escribas e fariseus, hipócritas! Porque limpais o exterior do copo e do prato, mas estes por dentro estão cheios de rapina e intemperança. Fariseu cego! Limpa primeiro o interior do copo, para que também o seu exterior fique limpo. Ai de vós, escribas e fariseus hipócritas! Porque sois semelhantes aos sepulcros caiados, que por fora se mostram belos, mas interiormente estão cheios de ossos mortos, e de toda imundícia. Assim também vós exteriormente pareceis justos aos homens, mas por dentro estais cheios de hipocrisia e de iniquidade" (Mt. 23.25-28).

O Senhor sabe que mesmo que uma coisa seja bonita e bem arrumada por fora, isso não significa que ela seja também assim por dentro. Ele sabe que quando alguém carrega uma bíblia, usa um terno de três peças, ou sorri como Madre Teresa de Calcutá, isso não significa que esse indivíduo seja piedoso e digno de confiança. Ele sabe que a verdadeira medida do homem ou da mulher não está na carteira, no rosto, no seu currículo ou em sua personalidade agradável.

O valor da pessoa está naquilo que você não pode ver.

O profeta Samuel foi obrigado a engolir essa verdade quando o Senhor o enviou ao rancho do criador de ovelhas, Jessé, para ungir o novo rei de Israel. Jessé tinha sido abençoado com sete filhos de bela aparência – e um irmãozinho "insignificante" que pastoreava o rebanho nos montes. Quando o mais velho foi apresentado a Samuel, o idoso profeta se aprumou na cadeira e fez um sinal de aprovação com a cabeça. Ali estava um bom material para o trono! Que magnifico espécime de homem! Seus ombros eram largos, seu sorriso mostrava dentes brancos e brilhantes, e tinha uma bela barba encaracolada! Salve o Chefe! A mão de Samuel devia ter-se dirigido para o óleo da unção quando a voz do Senhor o deteve:

> "Porém o Senhor disse a Samuel: Não atentes para a sua aparência, nem para a sua altura, porque o rejeitei, porque o Senhor não vê como vê o homem. O homem vê o exterior, porém o Senhor, o coração" (1 Sm. 16.7).

Deus sabe que há mais em uma vida do que uma boa aparência, e Ele sabe que aquilo que você vê não é necessariamente o que obtém.

Nossa cultura é mais obcecada pelo exterior do que a do primeiro século. Gastamos bilhões de dólares por ano em cosméticos, roupas de grife, calçados esportivos "certos", poções para os cabelos, salões de bronzeamento e centros de regime, tudo para nos dar uma boa aparência.

Todavia, o próprio Davi, o jovem esquecido pelo pai, pelos irmãos, por Samuel, e por quase todo mundo (mas não pelo Senhor), disse: "Eis que te comprazes na verdade no íntimo, e no recôndito me fazes conhecer a sabedoria" (Sl. 5.6). Ele escreveu novamente em Salmos 139.23-24: "Sonda-me, ó Deus, e conhece os meus pensamentos; vê se há em mim algum caminho mau, e guia-me pelo caminho eterno".

Davi reconheceu que aquilo que impressionava as pessoas não impressionava a Deus.

Só porque uma casa tem um jardim bem tratado e placas e quadros cristãos na entrada não significa que a família lá dentro não está se deteriorando.

Só porque um homem se levanta para ensinar a Bíblia e inspira confiança, deixando cair pérolas de sabedoria em uma voz bem modulada, não significa que o seu coração não esteja tão morto quanto madeira petrificada.

Só porque você se ocupa das atividades da igreja, carrega uma Bíblia no painel de seu carro, ouve emissoras cristãs, e sabe "falar como um cristão", isso não significa que corrigiu todas as falhas estruturais profundas e provavelmente perigosas em sua alma.

Ouça o que o Senhor disse a um grupo de crentes confortáveis, de "boa aparência" em Laodiceia:

> "Pois dizes: Estou rico e abastado, e não preciso de coisa alguma, e nem sabes que tu és infiel, sim, miserável, pobre, cego e nu. Aconselho-te que de mim compres ouro refinado pelo fogo para te enriqueceres, vestiduras brancas para te vestires, a fim de que não seja manifesta a vergonha de tua nudez, e colírio para ungires os teus olhos, a fim de que vejas" (Ap. 3.17-18).

O Senhor sabe o que está em nossa vida que não deveria estar, e o que não está mas deveria estar. Ele vê o que é óbvio e o que se encontra oculto. Enquanto outros talvez avaliem nossa vida pelas medidas externas à luz brilhante do dia, o Senhor está ocupado no turno da noite, trabalhando nas áreas escondidas que os outros não podem ver.

Isso me consola pelo menos de duas formas. Primeiro, é encorajador lembrar que Ele vê os pontos positivos em meu coração que ninguém mais observa ou nota. O nosso mundo não considera os valores, os compromissos e a fidelidade prioridades absolutas, mas Deus considera. O mundo não vê aquelas decisões angustiosas tomadas em segredo, mas Ele vê. O mundo não vê as vitórias em minha vida mental, mas Ele vê. O mundo não toma conhecimento de minha fidelidade a uma promessa sussurrada, mas Ele toma. As coisas ocultas significam tudo para Ele. Ele vê através da tinta gasta do papel de parede rasgado da minha vida para me dar crédito pela madeira em bom estado debaixo deles.

> "ENQUANTO OUTROS TALVEZ AVALIEM A NOSSA VIDA À LUZ BRILHANTE DO DIA, O SENHOR ESTÁ TRABALHANDO NAS ÁREAS ESCONDIDAS QUE OS OUTROS NÃO PODEM VER."

O segundo consolo é que o Seu Espírito me ajuda a identificar as áreas em minha vida que necessitam de polimento e ajuda antes de se tornarem problemas sérios. Ele trabalha em mim! Há ocasiões em que sinto que Ele me deixou no escuro e penso que não poderei achá-lo. De repente ouço um baque, um som, e sinto algum movimento nas áreas mais profundas do meu espírito. Ele parece surgir repentinamente dos lugares mais extraordinários em minha vida. Então, como Tio Ernie, Ele me conta o que encontrou e o que precisa ser feito.

O Senhor não é somente o Inspetor Supremo, mas também o Empreiteiro Geral. Algumas vezes parece que aquilo que Deus está fazendo é uma obra errada na hora errada. É comum não percebermos sequer o Seu trabalho. O fato é que a obra que está fazendo se encontra provavelmente nos espaços nos quais é preciso rastejar ou entre as paredes, ou no sótão das nossas vidas.

Assim como o valor de uma casa não está em sua beleza, mas em sua estrutura e fundamentos, o valor de nossas vidas não está naquilo que é visível, mas no invisível. A parte essencial de nossa vida é oculta, a parte que parece estar no escuro. Essa parte só Deus vê. Essa parte só ele inspeciona. Não posso imaginar o Senhor de macacão, com um cinto cheio de ferramentas (lembre-se, Ele era carpinteiro), ou carregando uma lanterna. Entretanto, de certo modo, é isso que Ele faz. E faz isso sem qualquer nova tecnologia ou ferramentas. Faz do jeito tradicional, mediante uma visita pessoal, investigações e consertos responsáveis.

Você sabe que tipo de lanterna Ele está usando nos lugares escuros e ocultos, rastejantes, da sua vida? É a Palavra de Deus.

> "Porque a Palavra de Deus é viva e eficaz, e mais cortante do que qualquer espada de dois gumes, e penetra até ao ponto de dividir alma e espírito, juntas e medulas, e apta para discernir os pensamentos e propósitos do coração. E não há criatura que não seja manifesta na sua presença; pelo contrário, todas as coisas estão descobertas e patentes aos olhos daquele a quem temos que prestar contas" (Hb. 4.12-13).

Os pedaços mais difíceis da minha vida são aqueles em que não vejo Deus trabalhar em mim.

Mas ele está trabalhando, pois afirma isso.

Ele pode estar verificando os pontos pouco notados em minha vida, para certificar-se de que posso enfrentar os estresses e tormentas que sabe que virão.

Não fique desanimado quando não vê grande atividade em sua vida, que todos possam notar e admirar. Papel de parede e tinta, afinal de contas, são bem finos. Mas a boa e sólida reconstrução feitas no sótão e debaixo das tábuas do chão é o tipo de trabalho que irá resistir ao teste do tempo e da eternidade.

É o tipo de trabalho que Deus e o Tio Ernie valorizam mais que tudo.

CAPÍTULO TRÊS

ELE ESTÁ SE LEMBRANDO DE MIM

"Lembra-te de mim, segundo a tua misericórdia, por causa da tua bondade, ó Senhor."

SALMO 25:7

O time de basquete Cal Tech da nossa liga pode não ter sido o mais talentoso, mas não se pode negar que era o mais esperto. Portanto, qualquer vitória dos nossos estudantes da faculdade bíblica os "country-boys" (caipiras) sobre os "atletas eruditos" da Tech era especialmente apreciada.

No primeiro jogo com os "Sabidos" durante meu segundo ano, nossa pequena seleção perdeu só algumas jogadas no primeiro tempo do jogo. E tínhamos ainda a outra metade para jogar. Enquanto nos dirigíamos para o vestiário, o instrutor olhou para o banco da Cal Tech e gritou: "Ei, Treinador, podemos ver a súmula ("shot chart")?".

– Claro – replicou ele e apontou para um dos estudantes que estava sentado sozinho bem no alto da arquibancada – Está com ele.

– Mehl – disse o nosso treinador – vá até lá, pegue a súmula com aquele sujeito e leve ao vestiário.

– Tudo bem, Treinador.

Em nosso campeonato era comum que o treinador planejasse uma estratégia para o segundo tempo, estudando a folha de controle ("shot chart") do primeiro tempo. Uma súmula ou folha de controle é um diagrama mostrando cada arremesso feito durante um jogo, quem fez, e se marcou. Ela permite descobrir rapidamente quem está jogando bem e quem não está, de modo que possam ser feitos ajustes na defesa.

Subi os degraus, dois de cada vez, e cheguei até um sujeito magro, com óculos de fundo de garrafa, lá em cima.

– O treinador disse que você está com a nossa súmula – falei.

– Mmm-hmmm – respondeu, sem sequer olhar para mim.

– Podemos dar uma olhada nela?

– Ainda não – replicou.

– O que quer dizer "ainda não"? – Quem era aquele bobalhão para não entregar o que meu treinador pedira?

– Quero dizer que ainda não preparei – disse.

– O que quer dizer que não preparou ainda? – eu estava ficando impaciente. E ele também.

– Olhe – disse – Ainda não preparei a súmula, está bem? Eu não queria perder tempo escrevendo todos aqueles números enquanto apreciava o jogo. Quando o jogo terminar, vou sentar-me e lembrar-me de cada bola, de onde foi atirada no campo e farei um círculo se for um ponto marcado.

O aspirante a astrofísico olhou para mim com ar condescendente.

– Minha memória me dá o luxo de fazer isso. O jogo ainda não acabou, portanto, não preparei a súmula, tá? Tem outra pergunta?

Meu queixo deve ter caído. Esse camarada era real? Estava dizendo o que eu pensava que dizia? Seria um embuste? Fui para o vestiário balançando a cabeça. Quanta informação a cabeça de um garoto podia reter? Será que ele guardava mesmo tudo aquilo?

Algumas vezes penso que tenho amnésia crônica. Fico feliz quando consigo lembrar-me de aniversários, feriados e onde estacionei o carro. De vez em quando minha esposa Joyce entra na sala com um prato cheio de maçãs cortadas que parecem ter saído da Arca.

– Ron, você por acaso cortou estas maçãs e as deixou em cima da cômoda por alguma razão especial?

– Acho que esqueci, não é?

– Esqueceu sim.

Nós rimos. Em sua graça e bondade, Joyce não acrescenta as palavras de novo.

Certas vezes fico pensando sobre mim mesmo. Sou realmente assim tão esquecido? Será porque estou quase sempre "preocupado"? Afinal de contas, os computadores podem tratar com todo tipo de informações. Fiquei sabendo que mediante um processo chamado de "depósito molecular", você pode armazenar toda a Biblioteca do Congresso em um pequeno disquete. Até um laptop pode operar em vários níveis ao mesmo tempo, reter volumes de informação em uma memória e recuperar um dado específico em segundos.

E eu não consigo sequer me lembrar do meu aniversário sem cobrir as paredes do escritório e o espelho do banheiro de notas adesivas uma semana antes do grande dia.

Fico impressionado com os sujeitos que se lembram dos seus aniversários. Fico impressionado com os fãs de esportes que memorizam cada jogada em um campeonato de basquete. Fico impressionado com os computadores do tamanho de meia pizza que podem engolir bibliotecas inteiras. Mas, para falar a verdade, fico muito mais impressionado com o que Deus lembra. Ele lembra de tudo.

Às 3h11 da manhã, no dia 7 de maio de 1664, um pardal fêmea, de um olho só, expirou sob uma moita a 1,8km do vilarejo de Shea, no condado de Cork, na Irlanda.

Ele se lembra.

Há mil anos, no hemisfério sul do planeta Vênus, um pequeno meteorito aterrissou perto de uma cratera de tamanho médio, deslocando três pedras do tamanho de uma bola de gude.

Ele se lembra.

Em 1952, um homem correndo por uma rua molhada em Saginaw, Michigan, perdeu uma moeda. Ela rolou para um bueiro e foi engolida junto com a lama.

Ele se lembra da moeda. Ele se lembra da data da moeda. Lembra onde foi cunhada. E se você quiser saber mais, Ele pode dizer-lhe quantas verrugas aquele homem que cruzou a rua tinha nas costas.

Esse é outro meio de dizer que Ele se lembra de tudo que já aconteceu. Ele sabe quando qualquer pardal – ou condor, periquito ou gaio azul – cai em algum lugar. Ele se lembra de tudo que já criou, inclusive de mim, do meu aniversário e do número de fios de cabelo que ainda me restam na cabeça.

Você acha que é grande coisa um estudante da faculdade lembrar um arremesso no primeiro quarto de um jogo de basquete? Deus se lembra de cada lágrima que já correu do canto dos seus olhos. Você pode tê-la limpado quando ninguém olhava. Pode ter estado no escuro com a porta trancada. Não importa. Ele notou cada lágrima e de alguma forma as guardou em um frasco bem seguro. Foi isso que Davi compreendeu depois de ser capturado pelos seus inimigos mortais, os filisteus.

"Tu contaste as minhas aflições; põe as minhas lágrimas
no teu odre; não estão elas no teu livro?" (Sl. 56.8).

Minhas lágrimas estão em Teu frasco, não estão, Senhor? Tu registraste cada lágrima em Teu livro, não é, Senhor? Tudo está na Tua súmula, não é, Senhor?

É verdade, tudo está ali. Outros podem ter esquecido. Você pode ter esquecido. Mas não o Senhor. Ele estava ali quando você agarrou a beirada do seu berço com as mãos gordinhas e gritou porque se sentia abandonado no escuro. Ele estava ali no recreio quando as outras crianças não deixaram você entrar no jogo. Suas costas estavam voltadas de vergonha, mas Ele viu suas lágrimas. Ele estava ali quando você não pode participar do time. Quando seus pais discutiram lá embaixo e você tentou cobrir os ouvidos com o travesseiro. Quando seu melhor amigo se mudou. Quando seu bichinho de estimação morreu. Quando sua avó não se lembrou mais de você. Quando o seu primeiro sonho realmente grande se desvaneceu diante da luz fria do "realismo" de alguém. Quando seu namorado ou namorada trocou você por outro. Quando seu pai quebrou uma promessa.

Você pode ter esquecido, mas não Ele! A sua vida é um livro totalmente aberto diante do Deus Onisciente, e Ele nunca deixa de examiná-lo.

Ele conhece cada palavra que você já pronunciou. Cada suspiro que já saiu de seus lábios. Cada vez que passou os dedos pelos cabelos. Cada vez que seus lábios se curvaram em um sorriso. Ele sabe onde você está e o que está pensando e sentindo em cada momento do dia e da noite.

O Senhor diz,

> "Acaso pode uma mulher esquecer-se do filho que ainda mama, de sorte que não se compadeça do filho do seu ventre? Mas ainda que esta viesse a se esquecer dele, eu, todavia, não me esquecerei de ti. Eis que nas palmas das minhas mãos te gravei" (Is. 49.15-16)

Perdemos algumas vezes toda a esperança e supomos que Ele vai se esquecer porque nós nos esquecemos. Todavia, ele se lembra. Ele é Onisciente. Ele é o Deus que tudo sabe. Ele jamais se esquece das Suas promessas, do Seu povo. Deus sabe tudo. Ele sabe o que estou fazendo, como estou fazendo e porque estou fazendo. Ele sabe o que aconteceu ontem, o que quase aconteceu hoje e o que não deve acontecer amanhã. Deus vigia a nossa vida e marca tudo em sua folha de controle celestial. Não sei se ele tem um computador "clipboard" ou "laptop", mas Ele vê tudo e não se esquece de nada.

Pense um pouco em um homem chamado Eric Liddell. O nome lembra você de alguém? Caso lembre, é porque Deus certificou-se de que seria lembrado. Em minha mente, foi Deus que tirou o pó de algumas das páginas anais da história olímpica para lembrar o mundo da fé corajosa de um jovem, um homem que se recusou a violar suas convicções cristãs.

Liddell, um jovem atleta bem classificado, que amava a Deus mais do que aos homens (e amava as recompensas de Deus mais do que a aclamação humana), se recusou a correr nas Olimpíadas no domingo, por ser o Dia do Senhor. Ele foi desprezado, zombaram dele e aparentemente o esqueceram. Mas Deus lembrou. Ele sempre lembra. Uma geração depois de Liddell ter ido para sua casa no céu, Deus usou os recursos e habilidades de Hollywood, o mundo secular do cinema, para relembrar todos da sinceridade do amor de Liddell por Deus. No filme que ganhou o Oscar, Carruagens de Fogo, Liddell foi retratado como um homem que não vacilou ao enfrentar a humilhação do abuso verbal e dos mexericos por trás dos bastidores. Ele tomou posição a favor do princípio, a favor de Jesus Cristo, e Deus se lembrou dele.

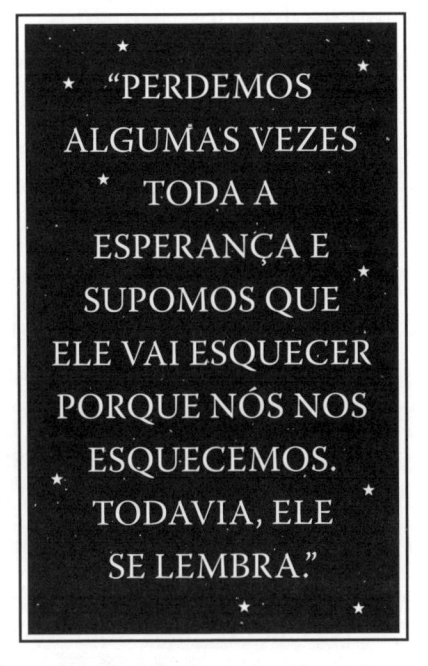

> "PERDEMOS ALGUMAS VEZES TODA A ESPERANÇA E SUPOMOS QUE ELE VAI ESQUECER PORQUE NÓS NOS ESQUECEMOS. TODAVIA, ELE SE LEMBRA."

Deus estava mantendo um registro, Ele tinha uma súmula completa. Escreveu tudo para que, mais tarde, pudéssemos ver a história. É claro que a maioria dos servos fiéis de Deus não irá aparecer como estrela em um filme ou em um livro. A maioria dos escolhidos de Deus morreu na obscuridade, tais como os heróis sem nome descritos em Hebreus 11: 35-38.

"Alguns foram torturados, não aceitando seu resgate, para obterem superior ressurreição; outros, por sua vez, passaram pela prova de escárnios e açoites, sim, até de algemas e prisões. Foram apedrejados, provados, serrados pelo meio, mortos ao fio da espada; andaram peregrinos, vestidos de peles de ovelhas e de cabras, necessitados, afligidos, maltratados (homens dos quais o mundo não era digno), errantes pelos desertos, pelos montes, pelas covas, pelos antros da terra" (vv. 35-38).

Esses indivíduos não são lembrados na Escritura pelo nome. Ninguém nesta terra se lembra de quem são. Mas Deus lembra. Ele viu cada lágrima derramada por eles. Lembra-se de cada vez que tremeram de frio ou desejaram um gole de água, ou sofreram com a perda de suas famílias. Hollywood jamais contará suas histórias e nenhum deles receberá um Oscar ou será entrevistado na revista Parade... mas, não se preocupe com isso. Deus sabe como honrar Seus filhos. Estou disposto a apostar que a Recepção da Sua Volta para Casa foi algo especial a ser apreciado.

Nas horas mais sombrias, a pergunta não é, – Quem me conhece? – mas, – Quem se lembra de mim? – Deus sabe quando sabe quando quisemos encestar uma bola e não conseguimos. Ele sabe quando trabalhamos ao máximo e falhamos. Ele sabe quando fizemos todo o possível e mesmo assim não ganhamos a partida. Mas Ele tem uma estratégia para o nosso futuro. Ele é um Treinador que conhece o resultado do jogo antes dele ser realizado.

Algumas vezes desejaria inventar uma pílula da memória que eu pudesse tomar para fortalecer os músculos da mente. Você sabe, esteroides para o cérebro. Lembro, porém, então, que servimos a um Deus que tem uma memória perfeita, que não comete lapsos, um Deus que sempre se importa conosco. Essa deveria ser a base para que não nos preocupemos com o resultado de nossa vida. Por quê? Porque estamos sempre na Sua súmula celestial. Ele registou tudo a nosso respeito em Seu livro de lembranças. E não esqueceu nada.

Espere um pouco. Quero explicar isso. Existe algo que Ele decidiu esquecer.

Nossos pecados.

Todos eles.

Em vista do que Seu Filho fez por você na cruz, Deus decidiu afastar completamente esses pecados de Sua mente. O que Ele disse a Israel, diz a você e a mim, "Pois, perdoarei as suas iniquidades, e dos seus pecados jamais me lembrarei" (Jr. 31.34). Foi por isso que Davi orou confiante:

> "Lembra-te, Senhor, das tuas misericórdias e das tuas bondades, que são desde a eternidade. Não te lembres dos meus pecados da mocidade, nem das minhas transgressões. Lembra-te de mim, segundo a tua misericórdia, por causa da tua bondade, ó Senhor" (Sl. 25.6-7).

Um Deus que se lembra de tudo que é bom sobre nós em Seu amor, e depois, em Sua misericórdia, lembra de não lembrar de todos os meus pecados? Puxa! Esse é um Deus que trabalha horas-extras.

Esse é um Deus que trabalha no turno da noite.

CAPÍTULO QUATRO

ELE ESTÁ SEGURANDO A MINHA MÃO

"A tua direita me susteve, e a tua clemência me engrandeceu."

SALMO 18:35

Um dos meus amigos acaba de tornar-se avô pela primeira vez. Pergunte a um avô com quem seu neto se parece e, sem sombra de dúvida, ele irá mostrar um álbum cheio de fotografias ou ficará fazendo elogios ao neto durante horas.

Certo dia visitei esse amigo enquanto ele tomara para si a responsabilidade de cuidar da netinha.

– Veja isto, Ron, – disse ele enquanto pegava a garotinha e a encostava no sofá. Mesmo apoiada no móvel, eu vi que o máximo que ela podia fazer era ficar de pé.

A seguir ele disse:

– Venha para o vovô, queridinha. Venha para o vovô!

As perninhas gordas que mal conseguiam suportá-la encostada no sofá, absolutamente não poderiam sustentá-la por si mesmas no grande e estranho mundo à sua frente. Ela deu um passinho curto e caiu em um amontoado de pernas, fraldas e cachinhos dourados. Depois, apenas sorriu.

O vovô também sorriu, mas parecia um tanto embaraçado. Colocou-a de novo contra o sofá para uma segunda tentativa.

– Venha, queridinha. Venha para o vovô. Venha, coração!

O coraçãozinho dela queria obedecer. Seu espírito também. E ela tentou, mas caiu de novo.

Meu amigo riu outra vez, mas sem conseguir esconder um medo crescente de ter-se gabado das habilidades da criança um pouco cedo demais.

– Talvez ela esteja apenas cansada, vovô – brinquei.

Ele deu um muxoxo. Mais uma tentativa. Mais uma pilha de dez meses no chão. Esta aterrisagem foi mais difícil que as outras e a menina começou a choramingar. Meu amigo deu a velha desculpa:

– Acho que ela está mesmo cansada. Cansada demais por ter andado tanto ontem.

Depois ele fez algo que achei maravilhoso. Em vez de deixar a pequenina arrastar-se sozinha e derrotada pelo chão, ele quis encorajá-la pelos seus esforços. Abaixou-se e com suas mãos grandes, calosas, tomou os dedinhos gorduchos nos seus e levantou-a, fez com que se virasse de costas e colocou os pezinhos sobre os seus. Quando ele levantava o pé esquerdo, o pé esquerdo dela também subia. O mesmo com o pé direito. Eles andaram pela sala com uma precisão que teria feito um sargento-instrutor de fuzileiros navais ficar orgulhoso. Uma expressão de segurança e prazer surgiu no rostinho da criança. Ela estava "andando"! Fora transformada instantaneamente de um bebê que não conseguia andar em uma mulherzinha caminhando pela passarela em um desfile pela Miss América. Tudo por causa das mãos e pés úteis do vovô.

Ela riu alegre e andou orgulhosa, jovem demais para perceber que seus pezinhos se equilibravam em pés grandes que haviam andado muitos quilômetros, que suas mãozinhas se agarravam a mãos grandes que haviam carregado fardos pesados, que o seu equilíbrio dependia do equilíbrio de um homem que enfrentara o vento, marchara na lama, andara sobre o gelo, e atravessara rios caudalosos com água até os quadris. Todo o tempo ela foi estimulada pelo coração de um avô que previa as suas necessidades e a amava muito.

Como filhos do Pai celestial, nós também necessitamos de ajuda para caminhar pela vida. Davi sabia o que dizia quando escreveu:

"A tua direita me susteve, e a tua clemência me engrandeceu. Alargaste sob os meus passos o caminho, e os meus pés não vacilaram" (Sl. 18.35-36). Ele toma as nossas mãos nas Suas e nos levanta gentilmente. Ele nos sustenta, amaciando o caminho à nossa frente. Ele impede que saiamos da estrada. Continuaremos a tropeçar e perder o equilíbrio às vezes? Claro que sim. Mas as Escrituras nos asseguram que se estivermos agarrados à Sua mão, nossos tropeços não chegarão a ser quedas trágicas.

"O Senhor firma os passos do homem bom, e no seu caminho se compraz; se cair, não ficará prostrado, porque o Senhor o segura pela mão" (Sl. 37.23-24).

Quem dentre nós nunca tropeçou, ou falhou, ou tremeu de medo? Todos precisam de ajuda. Mas nem todos sabem disso. Quanto a mim, estou aprendendo.

Quando nossos filhos eram pequenos, nós os levávamos ao Woolworth, uma grande loja de departamentos. Ali, no estacionamento, haviam colocado um desses parques de diversões, com algodão-doce, cachorro-quente, jogos e todo tipo de brinquedos – desde um polvo mecânico até uma formação de elefantes voadores. Decidimos começar pelo carrossel, mas não escolhemos um cavalo de corrida colorido, de olhos selvagens. Em vez disso, encontramos um burrinho sonolento, que parecia muito dócil. No final das contas, bem podia ter sido um garanhão vermelho, pois aquele burrinho corcoveava como um cavalo xucro em um rodeio. Posso ainda lembrar – enquanto tombavam para um lado na curva – quão depressa o rostinho deles passava da alegre expectativa para o mais puro terror. Joyce e eu fizemos o que os pais normais fazem: tentamos incentivá-los. Quando passavam voando por nós, gritávamos: "Meninos, vocês montam muito bem! Woweee! Está tudo ótimo!"

Os meninos não estavam na verdade acreditando. De fato, não estavam sequer ouvindo. Tudo o que podiam fazer era segurar-se. Joyce eu tentamos ajudar, mas não adiantou. Finalmente, o homem dos controles misericordiosamente fez parar o carrossel, antes que os gritos de terror deles amedrontassem os possíveis fregueses.

Nossos filhos estavam atordoados e doentes. Nós os pusemos no colo e os abraçamos enquanto readquiriam o equilíbrio. Eu não ri. Sabia como era. Eu fico tonto se giro depressa na cadeira do escritório para atender o telefone.

Sim, eu sei o que é sentir-se atordoado... de muitos jeitos.

Sei como é perder o equilíbrio... de muitos jeitos.

Sei como é vacilar e tropeçar... de muitos jeitos.

Já fiquei embaraçado mais vezes do que gosto de lembrar. Uma pessoa pode machucar-se se não pedir ajuda.

Estender-se. É isso, não é? E você não precisa estender-se demais. A não ser, é claro, que você sinta que Deus está muito longe. E só o pecado pode fazer com que a mão de Deus pareça distante.

> "Eis que a mão do Senhor não está encolhida, para que não possa salvar; nem surdo o ouvido, para não poder ouvir" (Is. 59.1-2).

O que é pecado?

Sou eu tentando satisfazer as minhas próprias necessidades.

Sou eu tentando andar sem ajuda.

Sou eu tentando satisfazer minha própria alma.

Sou eu recusando obstinadamente permitir que Deus, com Sua mão forte e graciosa me salve, me guarde e me sustente.

As Escrituras ensinam que a mão de Deus pode sempre alcançar-nos e, ao fazer isso, realiza uma coisa. Ela nos consola ou nos corrige.

Sua mão nos corrige quando pecamos e tentamos ocultar nosso pecado.

> "Porque a tua mão pesava dia e noite sobre mim; e o meu vigor se tornou em sequidão de estio. Confessei-te

o meu pecado... Disse: confessarei ao Senhor as minhas transgressões" (Sl. 32.4-5).

A sua mão nos sustenta quando estamos prontos a desistir e não podemos continuar.

"A minha alma apega-se a ti: a tua destra me ampara" (Sl. 63.8).

A sua mão nos guia quando perdemos o rumo e precisamos de orientação.

"Se tomo as asas da alvorada e me detenho nos confins dos mares: ainda lá me haverá de guiar e a tua destra me susterá" (Sl. 139.9-10).

A sua mão nos molda quando nos sentimos sem propósito ou valor.

"Mas agora, ó Senhor, tu és nosso Pai, nós somos o barro, e tu o nosso oleiro; e todos nós obra das tuas mãos" (Is. 64.8).

Quando os dias parecem mais escuros, eu me lembro da mão consoladora de Deus. É surpreendente quanto esse toque terno pode significar.

Penso em Joe Knapp, que era destemido e agressivo como um trator. Ele dirigia um caminhão de bebidas pelas estradas de Oregon e tinha um traço de avareza em seu caráter. Mas Joe encontrou a mão estendida de Deus em uma noite nevosa em Portland, Oregon. Quando tentava percorrer as ruas cobertas de neve, seu carro de bebidas quebrou exatamente em frente de uma igreja. Ouvindo cânticos no interior do prédio, decidiu entrar e foi convertido a Cristo naquela noite.

Joe sentiu-se em breve chamado para o campo missionário. Depois de alguns anos o ex-caminhoneiro veio a ser pastor da maior igreja de protestantes de Barrancabermeja, Colômbia. Ele pregava destemidamente a Cristo e pastoreou esse rebanho por bastante tempo. Clyde Taylor, diretor geral da Associação Nacional dos Evangélicos, disse: – Joe Knapp é capaz de viajar nos aviões dos rebeldes se esse for o único meio de chegar aonde precisa ir. – Para ele valia a pena receber um tiro caso pudesse pregar o evangelho.

Enquanto a esposa de Joe, Virgínia, era uma mulher serena, recatada e graciosa, Joe era bombástico e agressivo.

O que me passa na mente quando penso em Joe, porém, não é a sua pregação corajosa ou evangelização incansável. É a sua extraordinária ternura e cuidado com a esposa enquanto ela se achava em uma casa de repouso. Ele sabia que ela tinha medo de ficar sozinha; e então esse homem, que anos antes podia atirar todo mundo para fora de um bar sem a ajuda de ninguém, ia visitar sua pequenina esposa e ficava sentado a seu lado até altas horas da noite. Todos os dias, nas horas em que ficava perto dela, ele lhe dizia quanto a amava, quanto ela significava para ele, e que a sua vida teria sido vazia e pálida sem ela.

Mais que tudo, no entanto, Joe segurava a mão dela.

Ela afagava constantemente, para que ela soubesse que estava ali, que continuava se importando, e que faria tudo para que ela se recuperasse. O aperto forte da mão de Joe na sua era o elo que acalmava os temores de Virgínia.

De maneira semelhante, é a nossa ligação com Deus que afasta o medo. É a nossa ligação com Deus que nos tira da solidão e enche nossos corações de segurança.

Não faz mal se você me chamar de simplista (não será o primeiro), mas penso que muitos de nós tornamos a ideia de andar com o Senhor muito complicada. Ficamos pronunciando termos teológicos pesados, de cinco sílabas, usamos toda espécie de listas evangélicas, e algumas vezes fazemos os recém-convertidos acreditarem que têm de estudar grego, hebraico e aramaico antes de poderem realmente entrosar-se na vida cristã.

Todas essas coisas são boas e sou grato pelos eruditos e intelectuais cristãos; mas, não é bem possível que em toda a nossa sofisticação tenhamos perdido de vista os fundamentos da vida de Jesus?

A vida cristã não se resume realmente em Deus nos segurar e nós nos agarrarmos a Ele?

Certa vez os discípulos do Senhor começaram uma discussão sobre "grandeza" e "posição" e quem seria o maior no mundo vindouro. Jesus os surpreendeu chamando uma criança para o seu meio. Ele colocou os braços em volta dela e disse, "Em verdade vos digo que, se não vos converterdes e não vos tornardes como criança de modo algum entrará no reino dos céus. Portanto, aquele que se humilhar como esta criança, esse é o maior no reino dos céus" (Mt. 18.3-4)

Uma das primeiras coisas que as crianças aprendem a fazer – antes de falar, andar, comer cenouras amassadas com uma colher, usar o vaso sanitário, ou ler e escrever – é simplesmente levantar as mãos para serem carregadas. Como disse Jesus, os pequeninos são humildes. Quando estão com alguma dor, com fome, com medo, confusos, solitários, querendo mudar as fraldas ou apenas uma mudança de cena, lá se vão os bracinhos para o ar.

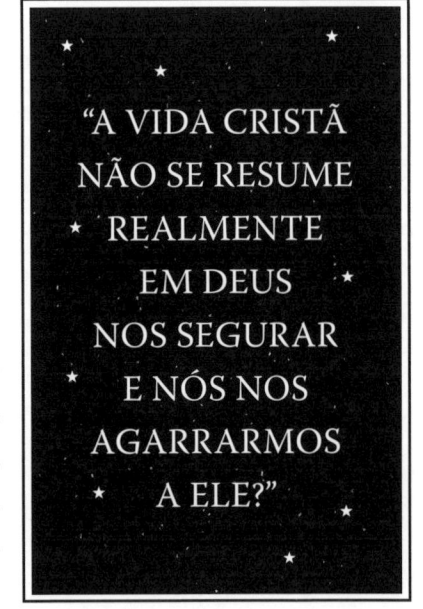

> "A VIDA CRISTÃ NÃO SE RESUME REALMENTE EM DEUS NOS SEGURAR E NÓS NOS AGARRARMOS A ELE?"

Papai... Mamãe... Vovó... Vovô... quero colo... me carregue... ande comigo... fique comigo... me ajude... me segure.

Um de meus amigos disse que quando seu filho era pequeno, o menino não queria que o pai fosse embora depois de ter dito boa-noite. Eles liam uma história, oravam juntos, bebiam um pouco de água, e se abraçavam e beijavam. Então, quando a mão do meu amigo estava na maçaneta da porta para sair do quarto do filho, a vozinha dele se fazia ouvir no escuro.

– Papai?

– O que é?

– Quer ficar mais um pouco comigo?

Na maior parte das vezes ele podia gastar "mais um pouco" de tempo com um menino que desejava prolongar a presença do pai e ficar de mãos dadas no escuro.

A maneira como respondemos à mão de Deus é que realmente importa. Nós procuramos alcançar a Sua mão estendida? Nos agarramos a Ele? Ficamos apegados a Ele mesmo quando a vida parece enlouquecer à nossa volta? Ou somos como crianças obstinadas que cruzam os braços, abaixam a cabeça e seguem teimosamente seus próprios caminhos? Como um pai de coração pesado, o Senhor diz ao seu povo:

"Estendi as minhas mãos todo dia a um povo rebelde, que anda por caminho que não é bom, seguindo os seus próprios pensamentos" (Is. 62.5).

Todos precisamos de ajuda, mas nem todos admitem essa necessidade. Tentamos sempre carregar mais do que devemos e é por isso que ficamos tão frustrados.

Observei no domingo passado um garotinho na igreja e aprendi uma lição valiosa. Ele era um menino teimoso. Ficava tentando abrir a porta dos fundos do prédio, mas ela não se abria. Ele puxou-a com toda a força, mas a porta continuou fechada. A frustração e a ira cobriram seu rostinho. Ele olhou em volta, deu uns passos para trás e correu na direção da porta – como fazem na TV. Nos filmes, é claro, a porta sempre racha e abre inteira. Esta não. Ele bateu contra a porta e depois caiu pesadamente no chão.

Achei engraçado. Por quê? Porque em um espaço de cinco minutos três pessoas se ofereceram para ajudá-lo. De cada vez ele retrucou asperamente: NÃO!

Eu, na verdade, fiquei até esperando que ele não conseguisse abrir a porta. Era demasiado orgulhoso para pedir ajuda. Não precisava da mão de ninguém. Ia fazer tudo sozinho. Chegou minha hora de sair e então fui até lá, virei a chave, e escancarei a porta. O garotinho ficou espantado. Mas, para mim a coisa não foi tão difícil assim.

Ajudar a você e a mim não é tão difícil assim para Deus. O caso é que nem sempre reconhecemos a Sua mão prestativa. Seu Espírito que habita em nós certamente sussurra encorajamentos ao nosso coração e nos dá forças para a tarefa. Mas a sua mão prestativa pode também estar na extremidade de um braço disposto, bem perto de nós.

- a mão de um velho amigo

- a mão de um novo amigo

- a mão de um colega de trabalho

- a mão de alguém da nossa família imediata.

Aceitar a mão de Deus é fácil quando você é realista. Realista no sentido de ver como deve. A tarefa à sua frente é grande demais. A montanha que vai subir é alta demais. As perguntas que lhe são feitas são difíceis demais, e não parecem ter respostas nesta terra.

Não se trata de pedir a Ele que se estenda para você. Suas mãos estão sempre estendidas para recebê-lo. Trata-se de você aceitar essa mão e agarrar-se a ela com todas as forças.

O Senhor ficará feliz em segurar a sua mão "mais um pouco". Até a eternidade.

CAPÍTULO CINCO

ELE ESTÁ OUVINDO A MINHA VOZ

"Esperei confiantemente pelo Senhor; ele se inclinou para mim e me ouviu quando clamei por socorro".

SALMOS 40:1

Você já caçou narcejas?

Se já, provavelmente nunca vai esquecer.

Segundo o dicionário, as narcejas são pássaros que frequentam brejos, parentes da galinhola, e caracterizados por um bico longo e flexível usado para escavar.

Por que alguém desejaria caçar narceja? Suponho que você poderia comê-la – embora eu nunca ouvi falar de ninguém que tenha tentado isso. O que soube foi que as pessoas são convidadas para caçar narcejas por puro prazer esportivo... ou algo assim.

Um amigo meu chamado Tim foi para a sua primeira (e última) caça às narcejas na tenra idade de 9 anos. O convite veio de seus dois irmãos maiores e um primo também mais velho quando a família visitava a fazenda do tio ao leste de Nebraska. Tim gostou de ser incluído na expedição, mas não conseguia descobrir por que seus dois irmãos, geralmente tão indiferentes, estavam de repente interessados em fazer alguma coisa com ele.

– Todos deveriam ter a oportunidade de caçar narcejas, – o irmão mais velho fungou. – É uma velha tradição, data da época da Rainha Vitória.

Quem era ele então para duvidar da Rainha Vitória?

Os irmãos e o primo de Tim o informaram que iam partir para a caça ao pôr-do-sol e perseguiriam a presa no cinturão de proteção da densa mata que ficava na extremidade leste do milharal. Suas armas para a caça eram um saco de pano grosso e um pedaço de madeira que servia de bastão.

Naquela noite, o pequeno Tim se viu agachado nas sombras escuras do cinturão de proteção, com o saco de pano aberto e o bastão a postos. Os rapazes mais velhos se afastaram, caminhando pelo mato com seus bastões. O plano era afugentar as narcejas dos seus esconderijos e – esperavam eles – em direção ao saco que o garoto segurava.

Os rapazes demoraram bastante. O irmãozinho começou a sentir-se muito só na escuridão, ouvindo o farfalhar dos choupos. Ele já se cansara de ficar encurvado sobre o saco. Pior ainda, estava sendo comendo vivo por uma horda de mosquitos famintos do Nebraska.

Mais tempo passou e o manto da noite desceu. Um mocho piou à distância. Os mosquitos zumbiam em volta das orelhas de Tim e mordiam através do pano fino da sua camiseta. Ele se sentiu subitamente muito só. Sentiu um medo súbito. Subitamente pensou se tinham se esquecido dele.

– Rapazes?

Não houve resposta ao seu chamado.

– Rapazes?

– Nenhuma resposta. Tim começou a chorar.

– RAPAZES?

– Estou aqui, filho.

A voz reconfortante do pai cortou repentinamente a noite. E seu pai saiu então dentre as árvores escuras, colocou um braço à sua volta e andou com ele pelo milharal em direção às luzes alegres da fazenda distante.

Os irmãos e o primo já tinham voltado para casa, é claro. Rindo às gargalhadas, enchendo a barriga com torta de pêssego da tia Lucy e protestando em altas vozes, entre as mordidas, que "O papai estragou tudo".

– Oh, esses meninos, – a tia Lucy o confortou enquanto passava unguento nas 37 mordidas de Tim.

Quanto ao jovem caçador de narcejas, muito feliz por ter voltado ao refúgio da fazenda, saboreava sua torta quente de pêssego. E lá no fundo havia a satisfação do pai ter estado "bem ali" no momento em que uma nota de desespero entrou em sua voz. O pai de Tim havia descoberto de alguma forma a brincadeira e decidira antecipadamente que não permitiria que ela fosse longe demais.

Esse é um ótimo retrato de um pai amoroso, sintonizado. É também uma boa descrição de nosso Pai celestial. Ele é um Pai que ouve a sua voz. Você pode estar cantando no coral da Cruzada de Billy Graham com dez mil participantes, mas Ele está atento ao som da sua voz. Você pode ajoelhar-se e orar com uma multidão de intercessores, mas Ele fica atento às suas petições.

No Salmo 40, Davi se encontra em uma terrível situação. Não caçava narcejas, mas o problema era ainda pior. Caíra em um poço. Não em um poço qualquer, mas em um "poço de perdição". Um poço horrível de lama movediça. Era um poço escuro, pegajoso, malcheiroso, e Davi se afundara até o pescoço nele. Mais tarde, depois de ter sido resgatado, ele escreveu este relato do seu pesadelo:

> "Esperei confiantemente pelo Senhor; ele se inclinou para mim e me ouviu quando clamei por socorro. Tirou-me de um poço de perdição, dum tremedal de lama; colocou-me os pés sobre a rocha e me firmou os passos. Ele me pôs nos lábios um novo cântico, um hino de louvor ao nosso Deus" (Sl. 40.1-3).

Lá no fundo do buraco escuro no chão, o grito de Davi deve ter soado bem indistinto, bem fraco. Alguém que passasse perto do poço talvez nem sequer o ouvisse.

Mas alguém ouviu. O Pai de Davi ouviu. E tomou providências.

Davi escreve que o Senhor "se inclinou para mim e me ouviu". Em outras palavras, Deus se "inclinou" antes de Davi abrir a boca. Ele estava se inclinando para ouvir antes de Davi ter arranjado coragem para gritar. E tão logo Davi falou, o Senhor saiu da escuridão para oferecer Sua mão forte.

O termo hebraico para "inclinar", natah, retrata uma imagem terna. É a figura de uma criancinha tentando chamar a atenção do pai ocupado. A criança puxa a perna da calça do pai e o homem forte deixa tudo que está fazendo, dobra um joelho, olha o filho nos olhos e diz, – O que foi, meu bem, papai está escutando. – Natah implica em inclinar-se para ouvir, em atenção focalizada, em disposição para se virar e escutar cada palavra.

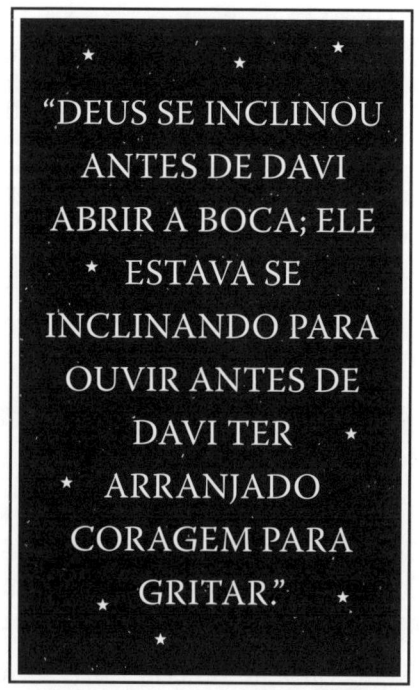

> "DEUS SE INCLINOU ANTES DE DAVI ABRIR A BOCA; ELE ESTAVA SE INCLINANDO PARA OUVIR ANTES DE DAVI TER ARRANJADO CORAGEM PARA GRITAR."

O Pai estava ouvindo antes de Davi ter caído no poço. Sua atenção estava voltada para Davi antes dele ter conseguido lançar seu pedido de ajuda. E quando Davi abriu a boca para orar, foi como se o Deus do universo pusesse tudo de lado, dobrasse um joelho e dissesse, – Estou ouvindo, Davi. Estou prestando atenção.

Você sabia que o Senhor ouve a sua voz? Já pensou alguma vez que o poderoso Criador das galáxias, dos sistemas estelares e dos mundos que não se podem contar, se ajoelha, olha para os seus olhos e enfoca as suas necessidades? Pense nisso! Deus ouve na verdade seu mais débil grito. Ele ouve quando você está apenas pensando sobre pedir ajuda. Ele ouve você quando nem sabe o que deve dizer, mas só consegue gemer no espírito.

Você talvez não ache que isso seja grande coisa. Todavia, quando o salmista refletiu sobre o assunto, ele ficou absolutamente admirado. Veja o que escreveu:

"Amo o Senhor, porque Ele ouve a minha voz e as minhas súplicas. Porque inclinou para mim os seus ouvidos, invocá-lo-ei enquanto viver" (Sl. 116.1-2).

O Senhor me ouviu. Meu pai e minha mãe talvez não me ouvissem, meu marido ou esposa talvez não me ouvisse, meu pastor talvez não me ouça, meu melhor amigo talvez não escute. Todas as pessoas do mundo poderiam estar muito ocupadas para ouvir meu grito de socorro, fraco como é. Mas Deus me ouve! Deus deixa de lado sua agenda intergaláctica e dobra um joelho para ouvir minhas palavras.

Mesmo à noite.

Mesmo quando estou perdido.

Mesmo quando satanás me levou em uma longa caçada de narcejas no escuro e eu fico para trás, carregando um saco vazio, sem conseguir encontrar o caminho de casa.

Deus sai da escuridão e diz:

– Estou aqui, filho. Ouvi cada palavra. Vamos comer um pedaço de torta.

CAPÍTULO SEIS

ELE ESTÁ ME ABENÇOANDO PARA QUE EU POSSA ABENÇOAR OUTROS

"Bendize, ó minha alma ao Senhor, e não te esqueças de nem um só de seus benefícios".

SALMOS 103:2

Roy Angel era um pregador batista pobre com um irmão milionário.

Isso aconteceu nos dias da alta do petróleo na década de 40. O irmão mais velho de Roy teve a sorte de possuir o pedaço certo de terreno nas pradarias do Texas, na hora certa. Quando vendeu, ele se tornou multimilionário da noite para o dia. Construindo sobre esta fortuna o Angel mais velho fez alguns investimentos estratégicos na bolsa de valores e depois lucrou com vários negócios em crescimento. Mudou-se então para um apartamento de cobertura em um grande prédio na cidade de Nova Iorque e gerenciava seus investimentos de um escritório luxuoso na Wall Street.

Uma semana antes do natal, certo ano, o rico empresário visitou o irmão pregador em Chicago e deu-lhe um carro novo – um Packard brilhante, último tipo. Roy sempre mantinha o carro novo em uma garagem estacionamento, onde ele ficava sob os atentos olhos do garagista. Foi por isso que ficou surpreso quando chegou para pegar o Packard certa manhã e viu um jovenzinho mal vestido com o rosto encostado em uma das janelas do carro. O rapazinho não estava fazendo nada suspeito, obviamente apenas admirava o interior luxuoso do veículo.

Alô, filho, – disse Roy.

O menino olhou para ele, – Esse carro é seu, patrão?

– Sim, – respondeu Roy, – É.

– Quanto custou?

– Não sei realmente o preço dele.

– Quer dizer que é dono do carro e não sabe quanto custou?

– Não, não sei. Meu irmão me deu de presente.

Ao ouvir isso, os olhos do garoto se arregalaram surpresos. Ele pensou um pouco e disse depois com um ar de desejo sincero, – Eu queria... Eu queria...

Roy pensou que sabia como ele ia terminar a sentença. Pensou que diria, – Eu queria ter um irmão assim.

Mas ele não disse. O menino olhou para Roy e disse, – Eu queria... eu queria ser um irmão assim.

Isso intrigou o ministro e (porque aqueles eram tempos mais inocentes) disse – Olhe, filho, quer dar uma volta?

O garoto respondeu imediatamente, – Claro que quero!

Os dois entraram então no carro, saíram da garagem e percorreram vagarosamente a rua. O menino passou a mão pelo tecido macio do assento dianteiro, aspirou o cheiro do carro novo, e tocou o metal brilhante do painel. Depois olhou para o novo amigo e pediu, "Patrão, será que podia passar pela minha casa? Ela fica só a alguns quarteirões daqui".

Roy supôs novamente saber o que o garoto queria. Ele pensou que seu desejo era mostrar o carro para alguns dos meninos da vizinhança. Por que não? Pensou. Orientado pelo jovem passageiro, Roy parou na frente de um velho conjunto habitacional.

– Patrão, – disse o menino quando pararam na esquina, – pode ficar aqui apenas um minuto? Volto já!

Roy concordou e o rapazinho correu para a entrada do prédio e desapareceu. Depois de uns dez minutos, o pregador começou a imaginar onde o garoto teria ido. Ele saiu do carro e olhou para o alto da escadaria sem iluminação. Enquanto olhava, ouviu alguém descendo devagar. A primeira coisa que viu emergindo das sombras foram duas perninhas finas e tortas. Um momento depois, Roy compreendeu que o menino estava carregando outra criança menor, evidentemente seu irmão.

O garoto colocou gentilmente o irmão na ponta da calçada. – Viu? – Disse ele com satisfação, – É como eu lhe disse. É um carro novinho em folha. O irmão deu para ele e algum dia eu vou comprar um carro assim para você!

Quando ouvi essa história fiquei comovido com a generosidade de um irmão para com o outro. Mas não foi o presente milionário que me impressionou. Afinal de contas, ele poderia ter comprado uma frota de Packards para o irmão com toda a facilidade. Não, eu me comovi com o desejo do menino favelado. Por que sonhava com uma prosperidade impossível? Para que pudesse gastá-la prodigamente com o irmão!

Eu gostaria de ser um irmão assim.

Essa foi a motivação que desejei que o Senhor colocasse em meu coração, à medida que acrescentou graciosamente anos em minha vida. Se Deus vai me cobrir de bênçãos do Seu depósito, eu quero ser também um abençoador. Estou convencido que uma das razões para Deus fazer prosperar certas pessoas, dando-lhes recursos, talentos, energia e sabedoria, é porque Ele sabe que elas irão por sua vez fazer prosperar seu povo.

Se eu tiver um celeiro cheio de mercadorias, posso sentir-me feliz em "esvaziar o celeiro" se me lembrar de quem o encheu em primeiro lugar. Se Deus encheu o celeiro com toda sorte de coisas boas, eu posso esvaziá-lo inteirinho, porque sei que tão depressa quanto eu o esvazie, Ele pode enchê-lo novamente. Por outro lado, se imaginar que de alguma forma enchi o celeiro mediante esforço, força e coragem próprios, terei cautela em deixar de enchê-lo de novo! Portanto, cada vez que me tornar um centro dativo de distribuição das mercadorias do Senhor, meu celeiro vai se tornar um armazém cuidadosamente vigiado.

Todos nós corremos o risco de cair nesse tipo de pensamento "protecionista". Até o rei Davi "homem segundo o coração de Deus", precisou ser lembrado. E se ninguém mais estivesse por perto para avivar a sua memória, não haveria problema! Ele mesmo cuidou disso:

"Bendize, ó minha alma, ao Senhor, e tudo o que há em mim bendiga ao seu Santo nome. Bendize ó minha alma, ao Senhor, e não te esqueças de nem um só de seus benefícios. Ele é quem perdoa todas as tuas iniquidades; quem sara todas as tuas enfermidades; quem da cova redime a tua vida, e te coroa de graça e misericórdia; quem farta de bens a tua velhice, de sorte que a tua mocidade se renova como a da águia" (Sl. 103.1-5).

– Fique atento – Davi diz a si mesmo –, não comece a engordar e ficar satisfeito e sonolento. Não permita que você fique descuidado. Não permita que venha a ter um tolo lapso de memória. Conte as suas bênçãos, Davi! Escreva-as em um rolo. Ele nos providenciou perdão, cura, redenção, recompensas e um número incontável de boas coisas. Se está se sentindo feliz, satisfeito e forte agora, Davi, meu velho, é melhor que se lembre por quê!

Em uma situação de abundância e superávit aparentes, Davi se envolve em uma "conversa consigo mesmo" sobre a necessidade de agradecer e louvar ao Senhor. Mas, qual é a reação apropriada quando a prosperidade não é tão aparente? Que tipo de "centro de distribuição" você pode ser quando parece que não tem nada para distribuir? Como pode continuar dando quando a despensa está vazia?

Lembro-me de uma certa noite, há anos, em meu ministério, quando meu celeiro parecia tão vazio que pensei que iria cair de fraqueza. O que você faria se estivesse três pontos abaixo do "desânimo"? Da derrota? Da depressão? Do abatimento? Era uma noite de domingo e eu acabara de pregar o que considerava um sermão incoerente, incompetente. Não fiquei surpreso quando ninguém respondeu ao convite. Por que deveriam responder? Por que alguém deveria responder ao meu ministério? Eu não pregava muito bem, não pastoreava muito bem, e não era certamente um grande administrador. O que eu fazia bem? Nada! Um grande zero.

Disse a Joyce que precisava "estudar", saí do santuário e fui para o escritório, fechei a porta, apaguei quase todas as luzes e caí no sofá. Não queria ver ninguém. Não queria falar com ninguém. Disse a mim mesmo que não tinha mais condições para fazer o esforço. Era melhor desistir, ir embora. Entrar em meu carro e nunca mais voltar ao estacionamento daquela igreja. E, para não apanhá-lo de surpresa, contei também minhas ideias ao Senhor.

– Deus, – disse eu, – é óbvio, é claro como o dia, que tens de me ajudar, mas não ajudas. Eu disse que não ia ser bom neste cargo quando estava na faculdade bíblica, mas Tu não deste atenção. E agora estou aqui, afundado na lama até o meu pomo-de-adão e não tenho ideia de onde Tu estás ou o que estás fazendo. Olha, Senhor, estou quase para desistir deste futebol e fazer algo produtivo com minha vida. Talvez cavar valas ou algo assim. Está mais do que claro que não sirvo para nada aqui.

Alguém bateu na porta.

Eu não podia acreditar!

Quem bateria naquela porta em um domingo à noite e como saberia que eu estava ali? Ignorei a batida. Se a ignorasse, ela iria embora.

Bateram outra vez.

Isto não podia estar acontecendo. Quem seria tão insistente? Mas ninguém bate mais que duas vezes. Se não houvesse resposta, a pessoa obviamente desistiria e iria embora.

Bateram pela terceira vez.

Minha irritação agora estava misturada com curiosidade. Quem bateria três vezes? Quem seria tão ousado e intrometido? Fui até a porta e abri repentinamente.

Um jovem casal da igreja se achava na entrada. Os dois pareciam nervosos, preocupados e abatidos. Ótimo. E agora?

– Sim? – perguntei sem muita delicadeza. Eles tomaram isso como um convite, passaram por mim, entraram no escritório e se acomodaram no meu sofá. A moça apertava um lenço de papel no nariz e o rapaz estava mais pálido que um cadáver.

– Pastor, – o jovem engoliu em seco. Ele pareceu hesitar um momento e depois tomou coragem. – Viemos vê-lo porque sabemos como o senhor é um homem piedoso. Sabemos como é fiel e não desanima, aconteça o que acontecer. Olhe, temos certeza que isso jamais entraria em sua mente e nos sentimos envergonhados de sequer compartilhar uma coisa destas com o senhor. É sobre nosso casamento, estamos tão desanimados que estamos pensando em... desistir.

Nesse ponto a moça deu um pequeno soluço por trás do lenço de papel. O marido olhou para ela e continuou.

– Não sabemos onde Deus está e tudo parece dar errado, temos vontade de acabar com tudo, o senhor sabe, nos separar.

Puxei uma cadeira e fiquei olhando para eles.

– Desistir? – perguntei – Estão falando de desistir? Que meio fácil de resolver uma situação! Só porque estão passando por dificuldades vão desistir? Vocês acham que tudo tem de ser como querem? É sempre cedo demais para desistir! Desistir é fácil. Todo mundo desiste. Mas vocês dois, vocês pertencem ao Senhor! Vocês são diferentes. São filhos de um Deus fiel. Vocês pertencem a um Deus que vai ajudá-los a atravessar essa situação, qualquer que seja ela. Não há meios de desistir! Vou orar com vocês neste momento, é isso que vou fazer, e Deus vai lhes dar um novo começo. Vamos nos apoiar na Sua fidelidade e encontrar forças além das nossas para enfrentar isso.

Como nosso Deus tem senso de humor! Ali estava eu, sentado no escuro, sentindo que Deus e todo mundo havia apagado as luzes sobre mim. E, de repente, Ele me fez sair do sofá, acender as luzes, abrir a porta e fazer um sermão ardente sobre a fidelidade de Deus, e a razão para nunca desistirmos.

O mais surpreendente de tudo é que eu acreditava fervorosamente no que dizia. E funcionou! Ele falou através de mim naquela noite para fortalecer um casal de jovens em conflito, prestes a se juntar às fileiras dos divorciados da América. Foi a maneira graciosa de Deus dizer para mim: "Ron, você talvez pense que chegou ao fundo do poço, pode ter decidido que não tem nada para dar, mas eu posso ainda abençoar e encorajar outras pessoas por intermédio de você quer ache que tem recursos pessoais ou não!".

Eu vi o Senhor abençoar a família da igreja e a tribo dos Mehl de maneiras muito especiais no decorrer dos anos. Mas, a ironia está em que você e eu parecemos perceber melhor a bondade e provisão de Deus quando estamos na última lona. Quando não há mais nada no armário. Quando você fica olhando para um quebra-cabeça cheio de peças denteadas e não consegue ajustar nenhuma extremidade na outra. Quando você está segurando uma xícara emocional quase cheia e lhe pedem para derramar mais um ou dois galões.

Quando eu estava na faculdade bíblica, ouvi tantas dessas histórias da "provisão milagrosa de Deus" que comecei a ficar um tanto cético a respeito. Alguém estava sempre levantando na igreja e dizendo – Nós precisávamos de U$ 137,13 para pagar o aluguel no dia seguinte e recebemos um cheque pelo correio exatamente de U$ 137,13! – Eu pensava com rebeldia, Oh vamos. Deixe disso!

Chegou então o dia em que eu e minha esposa ficamos sem ter o que comer. Éramos pastores da juventude mal pagos em uma igreja e simplesmente ficamos sem dinheiro e comemos todo o alimento que tínhamos em casa. Parecia uma daquelas histórias melodramáticas, a geladeira ficara completamente vazia. Penso que ainda tínhamos pão, uma lata de ervilhas e bastante água da torneira para a nossa "última refeição".

De repente, bem na hora, alguém bateu na porta de nosso apartamento. Eram o Sr. e a Sra. Cadonall, um casal amável de nossa igreja. Não havíamos contato a ninguém sobre as nossas dificuldades, mas lá estavam eles com os braços cheios de mantimentos.

– Viemos trazer umas coisinhas para vocês – disseram.

Ficamos olhando enquanto eles faziam várias viagens até o carro, trazendo ao todo quinze pacotes. Isso se tornou depois uma tradição. Eles nos levavam alimentos desse jeito a cada duas semanas e realmente necessitávamos deles. Joyce sempre olhava os pacotes, ficando entusiasmada com a carne e as batatas e eu sempre procurava no fundo dos sacos e me alegrava com o sorvete e as barras de chocolate. Penso que nunca me senti tão feliz com a provisão de alimentos de Deus antes ou depois daqueles dias.

Se Joyce e eu sempre tivéssemos uma cozinha bem estocada, se tivéssemos uma porção de mercadorias guardadas, eu talvez não pensasse em agradecer ao Senhor pela sua generosa provisão. Quando você chega ao assoalho nu – em suas forças, em suas finanças, em sua criatividade, em sua motivação – é que fica mais bem "preparado" para a provisão de Deus. É então que ele gosta de por seus trens de carga em movimento na direção do seu armazém.

Por que Deus enche a sua vida de coisas boas? Será para que possa ir ao seu depósito e contar as caixas? Será para que possa subir na empilhadeira e ver até que altura pode estocar as mercadorias? Não, Ele não quer que se preocupe com o que tem "em estoque", ou com a pequena quantidade que sobrou deste ou de outro item. Ele quer que se preocupe com a saída e deixe a entrada para Ele.

"Dai, e dar-se-vos-á; boa medida, recalcada, sacudida, transbordante, generosamente vos darão; porque com a medida com que tiverdes medido vos medirão também" (Lc. 6.38).

O que Deus faz no turno da noite da sua vida? Ele faz o que qualquer bom administrador faz ao fechar o armazém à noite. Reabastece as prateleiras.

Ele faz o inventário.

Ele anota o que está faltando.

Ele registra o que está quase acabando e observa o que sobra.

Ele verifica o que está dentro do prazo de validade e o que já está quase passando desse prazo.

Ele percorre com os olhos cada prateleira de sua vida.

Ele sabe exatamente o que está tendo boa saída e o que vem amontoando poeira há anos. Ele sabe o que você deu e o que foi tirado de você. Ele sabe o que você mal consegue manter em estoque e o que acumulou no fundo do armazém debaixo de folhas de plástico negro.

Você já teve a sensação de que as suas prateleiras estão vazias quando vai para a cama? Já sentiu como se a sua energia, desejo ou amor estivesse se esvaindo? Como se não sobrasse nada para dar?

Deus trabalha no turno da noite! Esses sons e batidas que ouve no escuro são dos operários de Deus, estocando as prateleiras

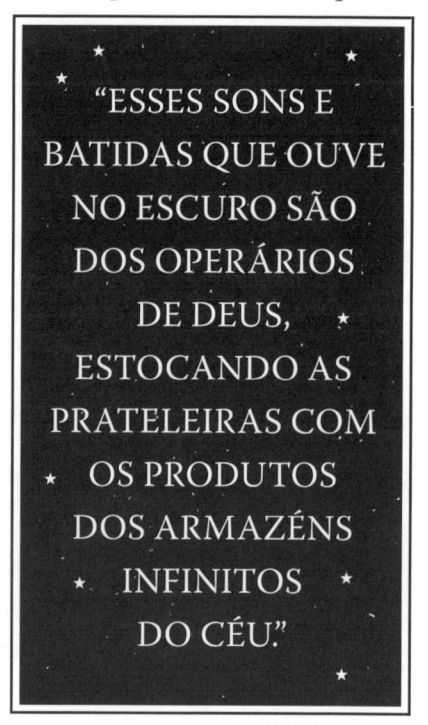

> "ESSES SONS E BATIDAS QUE OUVE NO ESCURO SÃO DOS OPERÁRIOS DE DEUS, ESTOCANDO AS PRATELEIRAS COM OS PRODUTOS DOS ARMAZÉNS INFINITOS DO CÉU."

com os produtos dos armazéns infinitos do céu. Essas vibrações que sente são dos seres celestiais, chegando com suas empilhadeiras cheias de provisões divinas de um suprimento infindo.

É verdade, estocar as prateleiras leva, às vezes, tempo. Pode não acontecer da noite para o dia. Pode demorar mais do que você espera ou deseja. É até possível que em certas ocasiões o reabastecimento não seja completado nesta vida. Deus tem toda a eternidade para reabastecer a vida de Seus filhos.

Em seu tempo perfeito, Deus sabe quando abrir a porta da cozinha, levando uma braçada das mercadorias do céu.

Você pode apostar que haverá bastante carne e batata nesses pacotes.

Mas, não fique surpreso se houver também algumas sobremesas.

CAPÍTULO SETE

ELE VAI ADIANTE DE MIM

"Esquadrinhas o meu andar e o meu deitar, e conheces todos os meus caminhos."

SALMO 139:3

Examinei freneticamente as anotações do endereço que me tinham sido dadas por telefone, mas de nada adiantou. Ficar olhando um dia ou uma semana inteira para aqueles garranchos não me faria chegar um metro mais perto do meu destino. Minhas anotações eram absolutamente inadequadas. Um "rapaz da cidade" nesta última metade da minha vida, todas as estradas rurais pareciam idênticas para mim.

Eu tinha saído do meu quarto no hotel naquela bela manhã de domingo, tanto para assegurar que chegaria na hora àquela pequena igreja campestre onde deveria falar, como para gozar de um passeio sem pressa através da área rural do Meio Oeste americano.

Não havia, porém, meios de enganar a mim mesmo enquanto atravessava uma estradinha anônima. Estava perdido e se não conseguisse logo uma orientação, chegaria tarde ao culto. Decidi parar no primeiro posto que encontrasse, abasteceria o tanque e pediria informações.

O primeiro posto que apareceu foi o Karl"s Feed & Fuel. Cheguei até a bomba e desci o vidro. O proprietário, um homem robusto com um boné John Deere e macacão, que supus ser o Karl, se encontrava, porém, ocupado. Um engradado de galinhas tinha caído de uma velha picape que estava abastecendo à minha frente. Como um verdadeiro samaritano, Karl apressou-se a ajudar o frustrado fazendeiro a caçar suas aves. Quando ele voltou à bomba, rindo e enxugando a testa, meu medo de não chegar no horário aumentara e perguntei rapidamente o caminho para a igreja.

– Olhe – disse ele – primeiro você entra na Estrada 18 – que é esta aqui – vai para o sul até o celeiro com uma barra pintada de preto. Preto e não branco. O branco é a velha propriedade dos

Wilkerson e a ponte de Timmitville está interditada, portanto, não vá por este caminho, siga meu conselho.

Concordei com a cabeça.

– Quando chegar ao celeiro dirija-se para o leste pela Berrybriar até alcançar Clear Creek, que segue rumo ao norte – talvez 2 ou 3km – até o grande silo de alumínio para cereais. Essa é a propriedade de Earl Simmons. Vire então para o norte na Estrada 7, siga por alguns quilômetros – ela tem bastante curvas – e siga depois para a esquerda onde se acha o grande rebanho de vacas Guernsey...

Quando Karl terminou suas instruções, eu estava mais perdido do que nunca e não tinha ainda saído do lugar. Tudo o que podia lembrar era um celeiro com uma barra de tinta preta – ou seria branca? – e um rebanho de vacas. Não conseguiria seguir as instruções dele e a essa altura chegaria mesmo atrasado.

Senhor, o que faço agora? Quero apenas ser um bom servo Teu. Mas, se chegar tarde, o que aquelas pessoas vão pensar de mim?

Nessa hora, um homem que estava abastecendo o carro na outra bomba veio até nós.

– Desculpe – disse com um sorriso tímido – meu nome é Lyle. Não queria me intrometer, mas você é o pastor visitante que vai falar na igreja de Petersburg Road?

– Sim, sou.

– Olhe, pastor, porque não me segue simplesmente até a igreja? Eu conheço o caminho.

Com prazer! Eu não precisava ficar prestando atenção em celeiros, silos, Earl Simmons ou vacas Guernsey. Tudo o que precisava era seguir Lyle – abençoado homem! Bastava manter os olhos nele e chegaria ao lugar certo, na hora certa.

Você talvez pense que eu fiquei surpreso com o aparecimento de Lyle sorridente e prestativo, vindo do nada, na hora exata,

> "EU SABIA EXATAMENTE O QUE ELE LEVAVA NA MÃO. ERA O CARTÃO DE VISITA DE MEU PAI."

oferecendo socorro. Na verdade não fiquei. É claro que me senti extremamente grato, mas tem havido muitos Lyles em minha vida. E embora não tivesse visto mais o meu guia depois dele ter entrado em seu Ford sujo com um aceno e partido na minha frente, eu sabia exatamente o que ele levava na mão.

Era o cartão de visita do meu Pai.

As Escrituras dizem: "Tu me cercas por trás e por diante, e sobre mim pões a tua mão" (Sl. 139.5). Sei que o Senhor vai atrás de mim e sei que Ele vai adiante de mim. Por causa disso – porque Ele já foi na minha frente antes que eu chegue lá – mantenho os olhos abertos para as pequenas mensagens e cartões que Ele deixa ao longo do caminho.

Davi também procurou os cartões de visita do Pai. Ele estava se sentindo perdido e confuso quando clamou: "Volta-te para mim! Tem misericórdia de mim! Concede a tua força a teu servo e salva o filho da tua serva. Dá-me um sinal da tua bondade, para que os meus inimigos vejam e sejam humilhados, pois tu, Senhor, me ajudaste e me consolaste" (Sl. 86.16-17).

Um sinal do teu favor.

O termo hebraico para "sinal" nesta oração significa "uma prova, uma ilustração visível, um portento, uma insígnia, ou indicador". Em outras palavras, um cartão de visitas. Deixado em um lugar estratégico.

À medida que a vida se desenrola você e eu inevitavelmente encontramos circunstâncias desconfortáveis desconcertantes ou até amedrontadoras. Você começa a pensar: jamais me aconteceu isto. Nunca estive neste lugar antes. Nunca me deparei com algo assim antes. É possível que isso aconteça quando você entra em um escritório para uma entrevista de emprego e encontra ali um homem ou mulher de cara amarrada, esperando para fritá-lo como um bife. Pode ser quando olha hesitante pela porta de um quarto de hospital para visitar um amigo doente. Pode ser no primeiro dia de aula na faculdade, entrando devagar em uma daquelas salas de aula enormes onde você se sente como um anônimo sem rosto. Pode ser na mudança para uma nova vizinhança em uma cidade estranha, onde você se sente sozinho e desorientado. Pode ser ao abrir a porta de uma funerária, onde vai ser obrigado a tratar de alguns arranjos que nunca pensou em discutir.

Você se vê orando como Davi, "Senhor, preciso do teu consolo agora. Quer me mostrar um sinal do teu favor? Quer me fazer saber de alguma forma que esteve aqui antes de mim"?

É reconfortante saber que Ele andou à sua frente. Que Ele esteve ali primeiro. Verificou tudo. Oro por pessoas nessas conjunturas todo o tempo, quando estão para mudar para uma nova situação. Oro "Senhor, peço que vás adiante delas. Prepara o caminho, para que ao chegarem possam ver que Tu já estiveste ali. Faze com que saibam que tu arranjaste as coisas, escolheste-as. Olhaste debaixo das camas. Estocaste a despensa".

Como é esse "cartão de visita" divino? Se fosse impresso, diria algo assim na parte da frente:

> **DEUS, SEU PAI**
> **JESUS CRISTO, SEU PASTOR**
> **O ESPÍRITO SANTO, SEU CONSELHEIRO**
>
> *Alfa e Ômega*
> *O Começo e o Fim*

Ele provavelmente teria uma pequena nota escrita no verso, com a letra de Deus. Algo como, Você talvez não tenha estado aqui antes, mas vim adiante de você para ver como as coisas estavam e preparar tudo. Até logo. E, para falar nisso, eu te amo.

Paulo precisava desses recados de amor de Deus, tanto quanto eu e você precisamos. Inclinamo-nos a pensar nele como uma espécie de apóstolo biônico ou super santo. Mas Paulo era de carne e osso, colocava as sandálias nos pés, uma de cada vez, e lutou com as mesmas emoções e temores que nós. Imagine sua apreensão e solicitude quando o levaram preso para Roma, a fim de apresentar seu caso diante de César. Ele sabia muito bem que aquela poderia ser uma viagem sem volta, terminando em uma cela ou enfrentando leões famintos no Coliseu. Era a sua primeira viagem a Roma. Não sabia o que o esperava ali. Além de tudo isso (como última gota), o navio em que se encontrava foi atingido por um furacão. Ouça a descrição de Paulo dessa cena terrível:

> "Entretanto, não muito depois, desencadeou-se um tufão de vento, chamado Euro-aquilão; e, sendo o navio arrastado com violência, sem poder resistir ao vento, cessamos a manobra... e, não aparecendo, havia há alguns dias, nem sol nem estrelas, caindo sobre nós grande tempestade, dissipou-se afinal toda a esperança de salvamento" (At. 27.14-15,20).

Viu só? Ele se encontra em meio a uma forte tempestade, o navio vai à deriva, sem ninguém saber para onde, e nuvens negras e densas encobrem o sol e as estrelas por muitos dias. Paulo deve ter orado esperando um cartão de visita divino. E recebeu-o! Certa manhã ele fez o seguinte anúncio aos seus companheiros de viagem famintos e desesperados:

"Mas, já agora vos aconselho bom ânimo, porque nenhuma vida se perderá de entre vós, mas somente o navio. Porque esta mesma noite o anjo de Deus, de quem eu sou e a quem sirvo, esteve comigo, dizendo: Paulo, não temas; é preciso que compareças perante César, e eis que Deus por sua graça te deu todos quantos navegam contigo" (vv. 22-24).

Mais tarde, nessa mesma viagem, o pequeno grupo aportou na costa ocidental da Itália... o último trecho da jornada antes da Cidade Imperial. O medo deve ter novamente assediado o espírito de Paulo como uma nuvem sombria. Ele deve ter ansiado outra vez por um pequeno "sinal de favor". E o Pai celestial do apóstolo não deixou de comparecer como sempre.

"Donde, bordejando, chegamos a Régio. No dia seguinte, tendo soprado vento sul, em dois dias chegamos a Potéoli, onde achamos alguns irmãos que nos rogaram ficássemos com eles sete dias; e foi assim que nos dirigimos a Roma. Tendo ali os irmãos ouvido notícias nossas, vieram ao nosso encontro até à Praça de Ápio e às Três Vendas. Vendo-os Paulo, e dando por isso graças a Deus, sentiu-se mais animado" (At. 28.13-15).

Como está vendo, o "cartão de visita" pode ser algo dramático como uma visitação angélica durante a noite. Outras vezes, é a hospitalidade calorosa de irmãos e irmãs cristãos que não conhecíamos. Paulo encontrou um comitê de recepção quando chegou perto de Roma. Um grupo sorridente de cristãos foi cumprimentar e abraçar o apóstolo, a fim de acompanhá-lo em sua chegada à cidade. Gosto muito do que a Escritura diz neste ponto: "Vendo-os Paulo, e dando por isso graças a Deus, sentiu-se mais animado". Você pode até imaginar a sua oração:

"Obrigado, Pai. Tu sabes que eu precisava disto. Tu sabes como isto alegra o meu coração. Como és bom para mim! Foste adiante de mim e enviaste alguns amigos para me encorajar e dar-me forças."

Se Ele o enviar para uma viagem e você pensar que está sozinho e por sua própria conta, esqueça isso. Ele está ali. Ele foi na frente. Ele é Aquele que vai adiante de nós. A Bíblia chama o Senhor Jesus de "começo e fim" da nossa fé. Foi Ele que iniciou nosso andar de fé e é Ele quem espera na linha de chegada. Ele é o Bom Pastor que sempre vai adiante das Suas ovelhas. Como nosso Precursor, Ele até provou a morte por nós, e absorveu o seu aguilhão. Ele foi para o céu adiante de nós e está preparando um lugar para nós e nos aguarda lá.

É verdade que algumas vezes Ele parece desaparecer em momentos críticos em nossas jornadas. Haverá temporadas escuras quando dizemos: "Perdi o contato com Ele. Ele estava comigo há um momento. Onde será que foi?". Essas são justamente as ocasiões em que você precisa ser reassegurado pelo Salmo 139, dizendo que Ele foi adiante de você. Enquanto você dorme, o Deus que trabalha no turno da noite vai À sua frente para investigar a estrada e preparar o seu caminho. A Bíblia Viva traduz o Salmo 139.3 assim: "Tu preparas o caminho à minha frente e me dizes onde parar e descansar" (tradução livre).

Ele não só deixa o "cartão de visita", como também coloca às vezes algumas instruções a lápis. Ele marca de alguma forma o caminho. Pode não ser uma nuvem ou uma coluna de fogo, como fazia para orientar os israelitas no deserto, mas pensará em algo, deixará traços da Sua passagem.

Você vai ver alguma coisa, vai ouvir alguma coisa, vai ser lembrado de alguma coisa. Sentirá uma fragrância suave. Receberá um telefonema ou experiência inesperados, as circunstâncias podem mudar de repente, ou o correio lhe trará um cheque imprevisto. Vai receber um abraço de uma irmã ou irmão sorridentes dos quais nunca esperaria tal atitude. Dirá então: "Ah, isso veio do Pai. Ele já esteve aqui e deixou um recado. Ele vai suprir todas as minhas necessidades. Não preciso me preocupar com nada".

Mantenha então os olhos abertos. Mantenha o coração aberto. Fique à espreita. Aquele homenzinho engraçado junto a bomba de combustível pode ser o Lyle com instruções. Ou um anjo com uma mensagem. Ou um novo amigo cristão que está pronto para andar com você no escuro.

Deus pode ir adiante de você por algum tempo, mas Ele nunca o deixará sozinho.

CAPÍTULO OITO

ELE VAI ATRÁS DE MIM

*"Tu me cercas por trás e por diante,
e sobre mim pões a tua mão."*

SALMOS 139:5

No Estado do Minnesota onde cresci, tínhamos neve de verdade. Não o tipo pálido, tímido, da Costa Ocidental, que se faz passar pela Neve Autêntica. Não o tipo de neve parecido com açúcar, com o qual os habitantes do sudeste se entusiasmam tanto.

Esta é a neve genuína, original do Meio-Oeste, que invade a paisagem em princípios de setembro e não cede o seu lugar até a primavera seguinte.

É a neve que faz você esquecer que existem no mundo cores chamadas "verde" ou "marrom".

É a neve na qual você pode esculpir fortalezas que fariam o Czar Nicolau sentir-se confortável e seguro.

É a neve na qual seus pais contaram que andavam quando crianças. Descalços. Dezesseis quilômetros. Com subidas na ida e na volta.

Não me atrevo a falar pelas meninas, mas para um garoto em crescimento, não há nada que excite mais do que a primeira grande nevada do inverno. Nós construíamos exércitos de soldados de neve, enormes fortes de neve, travávamos batalhas violentas com bolas de neve, comíamos cones de neve feitos em casa, e nos divertíamos mais que nunca.

Uma das minhas atividades favoritas era fazer "anjos de neve". A não ser que tenha nascido em Honolulu, Tallahassee ou San Diego, você deve ter provavelmente feito alguns também. Para fazer um anjo de neve, basta ficar de pé no meio do quintal, alto e ereto, e atirar-se de costas, com os braços estendidos. Então, por um momento, você fica ali parado... saboreando a sensação da maciez do pó... olhando para o céu... vibrando com o frio dos flocos gelados que se insinuam por entre o seu cachecol e a gola do seu agasalho. Finalmente, você começa a mover os braços e as pernas em uma espécie de movimento de "boneco de engonço", empurrando e esculpindo a neve. Quando acha que está na hora, você pula e observa o seu trabalho. Você acaba fazendo algo que dá a impressão de um anjo parecido com um grande cortador de biscoitos de neve.

Naqueles dias a gente fazia uma porção de anjos. Fazíamos um e, contentes com o nosso trabalho, passávamos a fazer logo outro, e outro, até que toda a vizinhança ficasse cheia deles, como se um vasto esquadrão de anjos tivesse aterrissado em Bloomington para descansar. Com centenas de crianças do bairro construindo anjos de neve, travando batalhas campais, marcando linhas para jogos violentos de futebol no gelo, e geralmente andando de cá para lá nos gramados, nas ruas e terrenos vazios, em poucas horas não se conseguia achar um lugarzinho sequer onde a neve se apresentasse branca e intata. Toda ela tinha sido manipulada pela garotada, usada, manchada, escavada, raspada, ou congelada. A paisagem linda e pura que víramos pela janela de manhã começava a parecer uma zona de guerra no Ártico ou uma mina de cascalho congelada.

A brincadeira perdia então a graça.

Depois de procurar em vão neve virgem até o fim da tarde, não tínhamos outra escolha senão ir para cama cansados – e um pouco tristes – por causa da desordem em que ficara a vizinhança até então imaculada.

Mas, Deus estava trabalhando no turno da noite.

Ao acordar na manhã seguinte, contemplávamos um milagre. Neve nova. Neve fresca e bela. Uma porção de neve. Um mar de um branco contínuo.

Todos os fortes, túneis, homens de neve quebrados, escavações e passagens, chão pisado, e campos de batalha tinham sido completamente cobertos, quase como se nunca tivessem existido. Até o Ford velho dos Jorgensen, uma monstruosidade enferrujada que enfeava o bairro, estava afundada na neve pura e macia.

O melhor de tudo é que podíamos voltar a fazer os anjos. Anjos melhores! Era um novo começo. O passado era passado. Não se podia sequer localizar as ruínas das batalhas de ontem.

Isso é ótimo quando se trata de um bairro; mas, e quando se trata do quintal das nossas vidas? E as coisas que desejamos esquecer? A inocência pisoteada? As batalhas e brigas? As palavras que nunca deveriam ter sido ditas? As ruínas de alvos inacabados e sonhos desfeitos? Você já colocou a cabeça no travesseiro a noite e desejou poder apagar as palavras ditas, ou anular certos atos, ou tomar um caminho diferente do que foi tomado?

Davi certamente sentiu isso. Quando ele começou a examinar a sua vida no Salmo 51, ficou doente com o que viu e escreveu: "O meu pecado está sempre diante de mim". Era como um risco fundo na lente de um óculos; para onde quer que olhasse podia ver as feias cicatrizes do seu passado. A lembrança dele não se desvanecia. O sofrimento por causa dele não acabava. Pensar sobre ele lançava uma sombra sobre qualquer momento agradável. O passado estava sempre ali, à sua frente. A esperança nova e branca e a alegria da sua juventude pareciam pisadas e manchadas irreparavelmente.

Certa noite então, bem tarde, antes de ir para a cama, antes de entrar debaixo das cobertas para outra noite insone, ele caiu de joelhos e abriu seu coração ao Senhor. Levou suas tristezas a Deus, no momento exato em que Ele batia o ponto para outro turno da noite.

"Compadece-te de mim, ó Deus, segundo tua benignidade; e, segundo a multidão das tuas misericórdias, apaga as minhas transgressões. Lava-me completamente da minha iniquidade, e purifica-me do meu pecado" (vv. 1-2).

Será que Davi brincou um dia na neve? Será que chegou a fazer um anjo de neve quando menino? O rei da meia idade, com o coração doente, lembrava de ter deitado algum dia na neve macia, tão branca e pura, tão fria e limpa? Talvez tivesse algumas lembranças desse tipo. Talvez fosse isso que o levou a continuar escrevendo:

"Purifica-me com hissopo, e ficarei limpo; lava-me e ficarei mais alvo que a neve... Cria em mim, ó Deus, um coração puro" (vv. 7,10).

Uma coisa maravilhosa aconteceu quando Davi dormia. Deus, sempre ocupado no turno da noite, levou purificação e perdão para o seu coração sofredor. Sabemos que Davi encontrou a alegria do perdão e restauração de Deus, em vista do que lemos no Salmo 32:

"Disse: confessarei ao Senhor as minhas transgressões; e tu perdoaste a iniquidade do meu pecado. O que confia no Senhor, a misericórdia o assistirá. Alegrai-vos no Senhor, e regozijai-vos, ó justos; exultai, vós todos que sois retos de coração" (vv. 5b, 10b-11).

Grite de alegria! Berre! Celebre! Corra para a janela e olhe para um mundo inteiramente coberto por um manto branco e macio.

Davi teve de enfrentar certas consequências das suas decisões pecaminosas pelo resto da vida. Mas que imenso alívio saber que não havia mais nada – nenhum impedimento ou sombra – entre ele e o Senhor a quem amava.

Não é fácil imaginar o profeta Isaías como um menino fazendo um anjo na neve. (Por que será que logo penso em uma criança com uma barba longa e enorme?) Mas o Senhor sabe tudo sobre neve e anjos e Ele fez o profeta escrever estas palavras:

"Vinde, pois, e arrazoemos, diz o Senhor; ainda que os vossos pecados são como a escarlate, eles se tornarão brancos como a neve; ainda que são vermelhos como o carmesim, se tornarão como a lã" (Is. 1.18).

Isso parece um convite para mim. Parece um Pai que quer que os seus filhos que estão tristes, sofrendo e feridos voltem para Ele.

Há algum tempo, um amigo meu falou a um grupo de jovens cristãos. Durante o período de oração, ele pediu-lhes que se ajoelhassem e orassem. Enquanto meu amigo orava, ouviu soluços atrás dele, e à esquerda, olhou para trás e viu uma moça jovem e bonita. Tinha o rosto escondido nas mãos e balançava suavemente o corpo enquanto chorava e orava pela salvação de seus amigos perdidos. Ele não pôde deixar de ouvir o que a moça dizia e ficou comovido com suas palavras fervorosas e ternas expressões de amor por Cristo.

Ao terminar o culto ele perguntou ao pastor sobre a jovem, apontando para ela enquanto conversava com seus amigos.

– Quem é ela? – indagou.

O pastor sorriu – A história é longa. Essa é Sherry, ela foi uma "garota dos motoqueiros" durante 3 anos e meio. Era passada de mão em mão na gangue, usada como se fosse lixo. Cometeu pecados indizíveis. Vendeu sua alma ao prazer e foi despojada de cada traço de inocência que uma jovem deve ter. Se fosse possível ver o pecado em uma pessoa, seus pés estariam cobertos com ele. Quando veio até nós era uma moça triste, cheia de sentimento de culpa.

O pastor fez uma pausa, com os olhos meio fechados, lembrando – Mas então, ela recebeu Jesus Cristo e você devia vê-la levantar-se no meio do grupo e falar sobre a graça de Deus! Seu choro é um sinal de alegria. Ela sabe de onde veio e que o Senhor perdoou seu passado.

O Senhor viu a confusão que ela fizera de sua vida e permitiu que a beleza do Seu amor que perdoa caísse sobre Sherry. Como a neve que oculta o caminho tortuoso. Como a neve que tudo cobre e oferece aos nossos olhos um mundo novo e convidativo.

Sherry se transformou de Anjo do Inferno em anjo da neve. Ela aprendeu que quando Deus perdoa, Ele faz muito mais do que simplesmente cobrir nossos pecados. Muitas coisas pouco atraentes são cobertas pela neve do inverno, mas quando chega a primavera, elas aparecem de novo, tão feias e ofensivas aos olhos como sempre. Mas quando Deus perdoa, o pecado vai embora! Ele o remove e se esquece dele para sempre. E tudo por causa do que o Senhor Jesus fez por nós na cruz. Ouça...

> "O SENHOR VIU A CONFUSÃO QUE ELA FIZERA DE SUA VIDA E PERMITIU QUE A BELEZA DO SEU AMOR QUE PERDOA CAÍSSE SOBRE ELA, COMO A NEVE QUE TUDO PURIFICA."

"E a vós outros, que estáveis mortos... vos deu vida juntamente com ele, perdoando todos os nossos delitos, tendo cancelado o escrito de dívida que era contra nós e que constava de ordenanças, o qual nos era prejudicial, removeu-o inteiramente, encravando-o na cruz; e, despojando os principados e as potestades, publicamente os expôs ao desprezo, triunfando deles na cruz" (Cl. 2.13-15).

Não há necessidade de acordar de manhã e olhar para a desordem de ontem, cheia de pisadas a esmo, batalhas, ruínas, atalhos reveladores, e imitações tortas de anjos. O Deus que trabalha no turno da noite pode cobrir tudo de um branco deslumbrante, puro, sem fim.

Mesmo que você não more no Minnesota.

CAPÍTULO NOVE

ELE ESTÁ ME VIGIANDO

"Ele não permitirá que os teus pés vacilem; não dormitará aquele que te guarda."

SALMOS 121:3

Muitos de nós tivemos nossa primeira experiência de acampar a poucos metros da porta do quintal.

Você é criança, o verão chegou, e o seu coraçãozinho anseia por aventura. Seu pai ajuda então você a levar a velha tenda de lona e você estabelece a Base Número Sete do Sertão, a poucos passos da janela do quarto dos seus pais. A tenda cheira a lona, poeira e agulhas de pinheiros. Você pode fechar os olhos e imaginar que está na Floresta Primavera, com o vento murmurando nos pinheirais, e um lago azul enorme lambendo melodiosamente a praia de cascalhos.

Se os seus pais quiserem mesmo compartilhar da sua aventura, vão deixar que você e seu amigo – ou irmão ou irmã – jantem lá fora em cima de um cobertor. Não, você não pode assar salsichas e marshmallows na fogueira do acampamento, mas salsichas feitas na cozinha também são gostosas e até marshmallows "crus" não são tão ruins assim.

A escuridão custa muito a chegar no verão, mas finalmente você e seus companheiros de aventura vão lá fora em seus pijamas, cada centímetro de pele coberto com bastante repelente de mosquitos. Todos levaram lanternas, espingardas de chumbinho (para o caso de surgirem ursos), bolachas, um saco de papel cheio de biscoitos de chocolate, um pacote de salgadinhos, e um cantil de escoteiro com refrigerante.

Não, você não pode colocar gravetos nas brasas da fogueira e não é fácil sentir-se realmente no meio do mato quando pode ouvir a TV dos vizinhos pela cerca do fundo. Mas pode mesmo assim espantar os mosquitos, ficar vigiando para ver se há morcegos e brincar em volta com lanternas, contando histórias de terror e entrando no espírito da coisa.

Você finalmente se arrasta para o seu saco de dormir na meia-luz do crepúsculo, com uma sensação de aventura ainda correndo nas veias. Mas, quanto mais escuro e mais tarde fica, tanto mais você começa a ter outras ideias a respeito de toda a expedição.

É interessante por algum tempo... as coisas parecem diferentes quando você está do lado de fora. Você ouve sussurros e pancadas difíceis de identificar. As coisas também parecem diferentes à noite, quando você espia pela pequena janela no fundo da tenda. Objetos comuns que não significam nada durante o dia tomam proporções fantasmagóricas e lançam sombras sinistras ao luar. Claro, é a "aventura" que você queria, mas dá um pouco de medo. Você não pode deixar de pensar como seria agradável e aconchegante estar em sua própria cama.

Você, no geral, aguenta passar a noite inteira fora e pega finalmente no sono. Por quê? Porque seus pais estarão olhando pela janela para ver como vão as coisas. Você sabe que alguém vai tomar conta de você durante a noite. Sabe que a porta dos fundos não está trancada. Sabe que se gritar alguém maior do que você vai ouvir e chegar em um instante.

É verdade, acampar no escuro dá certo arrepio, mas será tão ruim assim? Você continua no seu quintal. Continua bem debaixo da janela de Papai e Mamãe.

É assim que eu gostaria que a minha vida fosse. Essa é a espécie de confiança que eu gostaria de introduzir nos dias (e noites) da minha jornada aqui na terra. É claro que a vida fica arrepiante de vez em quando. Especialmente nos períodos de escuridão. Há coisas que não posso explicar; sombras que ficam pairando e temores que rondam na periferia dos meus limites seguros.

Mas, até que ponto isso é mau?

Estou acampado no quintal de meu Pai. Armei minha tenda bem debaixo da janela do céu.

> "ESTOU ACAMPADO NO QUINTAL DE MEU PAI. ARMEI MINHA TENDA BEM DEBAIXO DA JANELA DO CÉU."

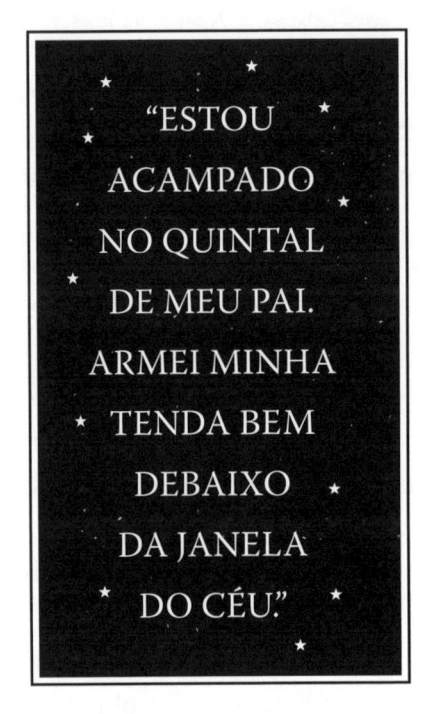

Sei que ele está me observando, porque Deus trabalha no turno da noite.

Será essa a espécie de pensamentos que aqueceu o coração do salmista enquanto ele fazia a viagem longa e ascendente para Jerusalém? Até que ponto a jornada seria má? Ele estava se aproximando do templo do Deus vivo. Estava acampando todas as noites na terra que Deus marcara como sendo de Sua propriedade. Foi isto que ele cantou no "salmo da subida".

"Ele não permitirá que você tropece; o seu protetor se manterá alerta. O Senhor é o seu protetor; como sombra que o protege, ele está à sua direita. O Senhor o protegerá de todo o mal, protegerá a sua vida. O Senhor protegerá a sua saída e a sua chegada, desde agora e para sempre" (Sl. 121.3,5,7-8).

Quando compreende que Deus observa você e a sua situação, que diferença faz isso? De que forma a sua vida muda, à medida que percebe que Ele está vigiando você ativamente?

Minha avó sempre costumava dizer-me – Lembre-se disso, Ronnie, o olho de Deus está sempre vigiando você, onde quer que vá. Noite e dia – Eu não me sentia muito à vontade quando ela dizia isso – e não sei se ela queria exatamente que me sentisse assim. Tudo em que podia pensar era em um olho enorme, injetado, errante, flutuando atrás de mim, verificando cada movimento meu.

Deus, porém, é mais que um olho. Ele é uma Pessoa. É um Pai sábio que nos ama, se importa conosco e conhece todos os nossos caminhos. Seu cuidado bondoso e atenção constante devem encher nossos corações de coragem.

É mais fácil enfrentar o valentão do bairro quando você sabe que seu pai está observando tudo da janela da frente.

É mais fácil bater na porta do vizinho para pedir desculpas por ter quebrado a janela, se sua mãe estiver por perto, a uma distância discreta.

É mais fácil para um embaixador traçar uma linha na areia na frente de um ditador cheio de si quando os F-16 norte americanos estão cruzando o céu.

É mais fácil encarar a vida com valentia e confiança quando você compreende que o Deus do universo observa cada passo que você dá, cada movimento que faz. Com esse conhecimento no seu coração, você tentará coisas e entrará em situações que de outra maneira não entraria!

Sempre fiquei imaginando por que Pedro parecia tão ousado e destemido às vezes. Refleti sobre isso e cheguei à conclusão de que Pedro era valente quando sabia que o Senhor estava por perto, vigiando!

Ele teve coragem de sair de um barco no meio de uma noite escura e tempestuosa e andar por sobre as ondas encapeladas... porque Jesus estava também de pé sobre as águas, a poucos passos de distância.

Ele teve a ousadia de puxar uma espada frente a uma multidão furiosa e cortar a orelha do servo do sumo sacerdote... porque sabia que Jesus estava bem atrás dele.

A sua coragem faltou, porém, no pátio de Caifás, quando uma serva o forçou a negar que sequer conhecia Jesus. Pedro não sabia que o Senhor estava suficientemente perto para vê-lo, mas estava. A Escritura nos diz que "voltando-se o Senhor, fixou os olhos em Pedro", e o discípulo cheio de remorsos "saindo dali, chorou amargamente" (Lc. 22.61-62).

Depois da ressurreição, Pedro ficou mais corajoso que nunca. Ele pregou para uma multidão de milhares, acusou seus companheiros judeus de terem crucificado o Messias, e informou calmamente à liderança judia reunida que daria contas a Deus e não a eles. A reação das autoridades diante desse fervor e coragem vale a pena ser notada:

> "Ao verem a intrepidez de Pedro e João, sabendo que eram homens iletrados e incultos, admiraram-se; e reconheceram que haviam eles estado com Jesus" (At. 4.13).

Pedro e João não só "haviam estado com Jesus", como continuavam estando! Eles tinham sido cheios do Espírito Santo e a promessa de seu amado Senhor ainda soava em seus ouvidos: "E eis que estou convosco todos os dias até a consumação do século" (Mt. 28.20).

Quer entendamos e apreciemos isso plenamente ou não, Ele fica conosco de qualquer forma. É importante cultivar essa sensação da Sua presença.

Um santo idoso, Frank Lamback, costumava tomar nota da porcentagem das horas em que ficava acordado e consciente dos olhos vigilantes do Senhor. Antes de ir para a cama, à noite, o bom e velho patriarca sentava-se e calculava cuidadosamente o tempo em que percebera a presença do Senhor com ele. No final de uma página em seu pequeno diário, ele registrou um número: 68% ou 79% ou 31%. Se a porcentagem era baixa, ele prometia melhorar no dia seguinte. Frank Lamback compreendia que sentir o olho vigilante de Deus muda a sua vida. Disciplinar-se a ponto de lembrar a si mesmo da presença do Senhor afasta você do pecado.

Pedro teria negado o Senhor se soubesse que seu caro Amigo o vigiava atentamente de um balcão próximo dali na casa de Caifás? Penso que não.

Davi teria observado tão despudoradamente a esposa do vizinho se tivesse consciência do Senhor ao seu lado no alto do palácio?

Ananias e Safira teriam mentido tão deslavadamente a Pedro sobre o preço de venda das propriedade, se tivessem visto Jesus glorificado de pé junto ao ombro do apóstolo? Pedro lhes disse: "Vocês não mentiram para mim, mentiram ao Espírito Santo". Mas eles não perceberam a presença do Espírito!

Pecamos contra o Senhor quando perdemos essa percepção da Sua proximidade. Saímos do caminho, satisfazemos a nós mesmos ao seguirmos os desejos da carne quando esquecemos seu olhar fixo sobre a nossa vida.

> Salomão notou: "Porque os caminhos do homem estão perante os olhos do Senhor, e ele considera todas as suas veredas" (Pv. 5.21).

Isso significa que nunca seremos feridos ou nos encontraremos em grandes dificuldades? Não, não significa isso! Mas significa que Deus jamais perderá nossa situação de vista, nem por um instante. E o Seu escrutínio é o olhar de um Pai vigilante, terno.

Lembro-me de meu amigo, Roy, me contando sobre uma ocasião em que brincava com o filho Jeff, em sua piscina alguns anos antes. Roy disse: "Jeff, não fique de pé na grade senão vai cair". Mas Jeff não lhe deu atenção, pois estava se divertindo muito. É claro que não demorou para que o menino escorregasse e caísse na piscina, de cabeça. Ele não sabia nadar e estava bebendo água como uma esponja. Roy contou deliberadamente até três e depois tirou o filho da água.

Alguns dizem que se ele amasse realmente o filho, não teria permitido que caísse na piscina e certamente tiraria o garoto na mesma hora em vez de contar até três. Mas Roy queria que Jeff aprendesse uma lição com o perigo que correu. Ele queria que o momento de pânico e terror do filho impedisse que os pés do menino andassem pelo caminho da indiferença no futuro.

O mesmo acontece com o Senhor. Só porque está vigiando você não significa que você nunca irá cair. Não significa que nunca vai molhar-se ou mergulhar de cabeça. O Senhor pode esperar para livrá-lo até que tenha absorvido algumas lições importantes.

Algumas vezes, Ele parece não livrar absolutamente Seus filhos.

No livro de Atos, Estevão se encontrou em uma situação de perigo mortal frente aos inimigos de Cristo. Profundamente consciente da presença do Senhor, Estevão fez um sermão ardente, cheio do Espírito, para uma multidão enraivecida. Quando estavam prontos para agarrá-lo e despedaçá-lo em sua fúria, os olhos do jovem foram abertos para ver aquilo em que já acreditava.

> "Mas Estevão, cheio do Espírito Santo, fitou os olhos no céu e viu a glória de Deus, e Jesus, que estava à sua direita, e disse: Eis que vejo os céus abertos e o Filho do homem em pé à destra de Deus. Eles, porém, clamando em alta voz, taparam os ouvidos e unânimes arremeteram contra ele. E, lançando-o fora da cidade, o apedrejaram... e apedrejaram a Estevão que invocava e dizia: Senhor Jesus, recebe o meu espírito" (At. 7.55-59).

Aquele foi obviamente o pior momento na vida de Estevão. Será que foi?

Seus olhos estavam cheios do céu. Seus olhos estavam fixos no Senhor Jesus Cristo e em Deus Pai. E os olhos deles estavam fixos nele. O jovem viu Jesus estender a mão quando gritou: "Senhor Jesus, recebe o meu Espírito"?

Ele tinha um pé no céu e uma das mãos no aperto firme e quente do Amor Eterno.

Seria assim tão mau?

CAPÍTULO DEZ

ELE ESTÁ ME AMANDO

"Eu vos tenho amado, diz o Senhor."

MALAQUIAS 1:2

Ele era um homem grandalhão, enfrentando um inimigo além das suas forças.

Sua jovem esposa caíra gravemente enferma e morrera de uma hora para a outra, deixando o homenzarrão sozinho com uma garotinha de olhos grandes e cabelos cor de linho, com menos de cinco anos.

O culto na capela do lugarejo foi simples, carregado de tristeza. Depois do sepultamento no pequeno cemitério rural, os vizinhos rodearam o viúvo. – Venha conosco e fique alguns dias – disse alguém – você não deve voltar ainda para casa.

Por mais pesaroso que estivesse, ele respondeu – Obrigado, amigos, pelo seu bondoso oferecimento. Mas temos de ir para casa – onde ela estava. Minha filha e eu temos de enfrentar isso.

Eles então voltaram. O homem grande e sua menininha, para o que agora parecia uma casa vazia, sem vida. O homem colocou a cama da filha no seu quarto, para que pudessem atravessar juntos aquela primeira noite sombria.

Naquela noite, enquanto os ponteiros do relógio corriam, a menininha não conseguiu dormir... nem o pai. O que pode amargurar mais o coração de um homem do que ver a filha soluçar pela mãe que nunca voltará?

A garotinha chorou muito naquela noite. O homem foi até o leito dela e tentou consolá-la da melhor forma possível. Depois de algum tempo a menina deixou de chorar, mas só por ter dó do pai. Pensando que a filha adormecera, ele levantou os olhos e disse tristemente: – Confio em ti, Pai, mas... tudo está escuro como se fosse meia-noite!

Ouvindo a oração do pai, a menina voltou a chorar.

– Pensei que estivesse dormindo, filhinha – disse ele.

– Papai, eu tentei. Fiquei com pena de você. Mas não consegui dormir. Papai, você sabia que ia ficar assim tão escuro?

Por que papai? Não posso nem ver você, por causa da escuridão – Depois, através das lágrimas, a menina sussurrou – Mas você me ama, mesmo que esteja escuro, não é, papai? Você me ama, mesmo que eu não o veja, não é, Papai?

Como resposta, o homem se abaixou e com as enormes mãos tirou a filha da cama, apertou-a ao peito e ficou segurando o corpinho dela até que finalmente pegasse no sono.

> "CONFIO EM TI, PAI, MAS... TUDO ESTÁ ESCURO COMO SE FOSSE MEIA-NOITE."

Quando ela se aquietou, ele começou a orar. Levou a Deus o queixume da filha.

– Pai, está escuro como se fosse meia-noite. Não posso absolutamente ver-te. Mas, tu me amas, mesmo quando está escuro e não consigo enxergar, não é?

A partir dessa mais escura das horas, o Senhor tocou-o com nova força, capacitando-o a prosseguir caminho. Ele sabia que Deus continuava a amá-lo mesmo quando estava escuro.

A Bíblia revela que Davi experimentou uma temporada longa e difícil de escuridão em sua juventude. Se alguém precisava ouvir o conselho familiar, "Não duvide no escuro do que Deus lhe mostrou na claridade", era o filho mais moço de Jessé.

Depois de anos de tranquilidade obscura entre os rebanhos do pai, ele foi subitamente lançado às alturas olímpicas. Em um momento guardava um rebanho de ovelhas que pastavam em um prado, no momento seguinte foi ungido como próximo rei de Israel. Em um momento entregava sanduíches de queijo aos irmãos na linha de batalha, no momento seguinte tornou-se o guerreiro campeão do seu povo e o querido de todas as mulheres de Israel.

A permanência do jovem no alto da montanha foi, porém, de curta duração. Em breve o acusaram de traição, foi sentenciado à morte e perseguido de uma extremidade a outra de Israel por todos os cavalos e todos os homens do rei. Davi refugiou-se finalmente nas profundezas de uma das cavernas de pedra calcária que abundavam no deserto desolado da Judeia.

Que tombo enorme: da luz dos refletores para uma caverna! Da claridade ofuscante dos holofotes para a escuridão úmida de um esconderijo no sertão.

Embora a escuridão rodeasse Davi – mais escura que a da meia-noite – a chama da sua fé em Deus continuou ardendo. Ele não conhecia todos os detalhes, mas sabia que as trevas não durariam para sempre.

> "Porque fazes resplandecer a minha lâmpada", ele escreveu em seu diário de oração, "Ao anoitecer pode vir o choro, mas a alegria vem pela manhã" (Sl. 18.28, 30.5).

Davi compreendeu que embora ele lutasse contra os temores e sofrimentos que surgem à noite, Deus não tem problema algum com a escuridão.

> "Se eu digo: as trevas, com efeito, me encobrirão, e a luz ao redor de mim se fará noite, até as próprias trevas não te serão escuras: as trevas e a luz são a mesma coisa para Ti" (Sl. 139.11-12).

Daniel também era um jovem que podia escrever a respeito das trevas. Embora não passasse de um menino, o exército babilônico invasor o arrastou para o cativeiro, longe do amor e conforto do lar. Quão escuras as coisas poderiam chegar a ser para um adolescente solitário? Separado de sua casa, família, país, e de tudo que lhe era caro e familiar, ele poderia muito bem estar prisioneiro em Marte. Todavia, uma chama de fé queimava no coração de Daniel, assim como queimara no de Davi. Ao enfrentar uma sentença de morte, expedida por um rei irado, estas palavras sobre o Deus de seus pais vieram a ele no meio da noite: "Ele revela o profundo e o escondido; conhece o que está em trevas, e com ele mora a luz" (Dn. 2.22).

Em todo o Antigo Testamento, talvez ninguém experimentou as trevas como Jó, um homem nascido na antiga terra de Uz. Sacudido pelo próprio satanás – como um coelho na boca de um lobo – Jó perdeu seus dez filhos, seus rebanhos e manadas, sua saúde e o respeito da esposa, tudo no mesmo dia. Além disso, seus amigos mais íntimos supuseram que ele cometera algum pecado grave e o assediaram com acusações e insinuações. Com os filhos em dez túmulos recém-cavados, a reputação em pedaços e a saúde em declínio, Jó sentiu-se esmagado pela escuridão. Todavia, em meio a tudo isso, através das lágrimas, ele pôde ainda fazer esta afirmativa sobre o seu Deus: "Das trevas manifesta coisas profundas, e traz à luz a densa escuridade" (Jó 12.22).

Em outras palavras, este é um Deus que trabalha no escuro. É um Deus que marca o cartão de ponto no turno da noite. Não importa quão escuro fique, Ele continua trabalhando. Não importa o avançado da hora, Ele vigia aqueles a quem ama.

Os discípulos do Senhor descobriram esta verdade por volta das quatro horas de uma manhã tempestuosa.

> "Logo a seguir, compeliu Jesus os seus discípulos a embarcar e passar adiante para o outro lado, a Betsaida, enquanto ele despedia a multidão, e, tendo-os despedido, subiu ao monte para orar. Ao cair da tarde, estava o barco no meio do mar, e ele sozinho em terra. E,

vendo-os em dificuldade a remar, porque o vento lhes era contrário, por volta da quarta vigília da noite, veio ter com eles, andando por sobre o mar; e queria tomar-lhes a dianteira... pois todos ficaram aterrados a vista dele. Mas logo lhes falou e disse: Tende bom ânimo! Sou eu. Não temais!" (Mc. 6.45-48,50).

Aqueles homens no barco julgavam estar sozinhos em meio à noite. Eles pensavam que ninguém os via lutando contra a tempestade. Pensavam que ninguém sabia como seus corações corcoveavam de medo e seus músculos doíam por causa dos remos. Mas não tinham razão. Alguém estava acordado. Alguém vigiava. Alguém andou para dentro da noite e da tempestade, chegou perto do seu frágil barco e disse, "Não tenham medo, amigos, estou aqui".

Ele os amou no escuro.

Não importa a forma que a sua escuridão tome, não importa quão distante você se sente do raiar do sol, Ele o ama mesmo assim.

O Senhor sabe quando estender, de dentro da noite, a sua mão e colocá-la sobre nós. As pessoas perguntam – Como O Senhor sabe o que é experimentar uma falência, sentir a dor de ver um filho rebelde fugir de casa?

Mas ele sabe. Passou por isso muitíssimas vezes. Ele sabe o que é perder as pessoas que ama, pois Ele ama o mundo inteiro, e este o esqueceu. Seus filhos se afastam dEle com indiferença e desafio a cada dia. Ele já teve de ficar de lado e observar muitos de seus filhos viverem muito abaixo de seus privilégios nEle.

Seus melhores amigos o abandonaram, chegando a negar o Seu nome. Judas, o administrador de seus negócios, o vendeu ao Sinédrio e aos romanos. Seus conterrâneos o rejeitaram, pedindo aos gritos que soltassem o criminoso Barrabás. Até Deus

Pai virou as costas para Jesus quando o Filho de Deus vestiu o manto dos nossos pecados. Assim como a menininha clamou ao pai, em seu sofrimento pela morte da mãe; Jesus, naquele túmulo negro da noite de Sexta-Feira Santa, não estaria justificado ao dizer – Pai, tu já viste tamanha escuridão? Pai, tu me amas mesmo quando não posso ver ou sentir, não é?

Jesus sabia, porém, algo. Ele sabia que mesmo nos momentos mais negros, a mão poderosa de Deus descansava sobre ele. Deus estava trabalhando fora do seu raio de visão, por trás das cortinas, a fim de cumprir Sua vontade soberana para o mundo.

Ele faz algumas das Suas maiores obras no escuro.

CAPÍTULO ONZE

ELE ESTÁ ME PROTEGENDO NA ESCURIDÃO

*"O Senhor é a minha luz e a minha salvação;
de quem terei medo?"*

SALMO 27:1

Há escuro e escuro.

Você diz que a "escuridão" está indo embora mais tarde, em uma manhã de domingo quando sai para apanhar o jornal.

Você comenta sobre a "escuridão" quando está acampado em uma floresta nacional.

Você resmunga – Como está escuro aqui – quando tateia para encontrar o banheiro à noite em um quarto estranho de hotel.

No entanto, na verdade, a luz não está completamente ausente. É possível ver as luzes fracas da cidade, a muitos quilômetros de distância. Na floresta, a luz da lua e das estrelas é algumas vezes suficientemente brilhante para lançar sombras. Nessa nossa era eletrônica, encontramos luzes pequeninas vermelhas, verdes e azuis brilhando e piscando em detectores de fumaça, barbeadores recarregáveis, utensílios de cozinha e relógios eletrônicos. Uma luzinha geralmente se infiltra por baixo das portas e até através das cortinas das janelas.

Um amigo meu entrou aos tropeções no banheiro de sua casa certa noite e viu dois olhos verdes e luminosos olhando para ele do espelho do banheiro. Ele imediatamente acendeu a luz e descobriu que os olhos tinham sido feitos com uma massa gelatinosa (Nutty Putty). Seu filho fizera os olhos brilhantes e prendera ao espelho para "amolar" a irmãzinha.

A luz vem de inúmeras fontes diferentes e é difícil obter escuridão total. Esta foi uma das razões para meus filhos desejarem explorar a caverna.

Em certas ocasiões, quando sou convidado a falar longe de casa, consigo levar minha família em minha companhia. Lembro-me de uma dessas oportunidades há anos, quando Ron e Mark eram bem menores. Eu estava pregando em Bend, Oregon, naquela época uma cidadezinha sonolenta na região central do estado de Oregon. Nós tínhamos nos hospedado no hotel local. A caminho da cidade, os meninos tinham visto anúncios sobre as "Cavernas de Lavas de Oregon Central". Por serem meninos e gostarem de cavernas, eles queriam ver o que havia para ser visto. Tive a felicidade de arranjar um dia de folga entre meus compromissos e prometi que visitaríamos as cavernas e faríamos um pouco de "exploração".

As cavernas de lava, ou mais apropriadamente os canos de lava, foram formadas há muito tempo quando os vulcões da região ainda lançavam fogo e borbulhavam. As cavernas se formaram quando rios de pedras derretidas corriam através das rochas próximas, formando túneis profundos. Quando a lava que descia pelos túneis esfriava em contato com as rochas que os ladeavam, os túneis iam se tornando gradualmente mais estreitos em diâmetro, à medida que chegavam ao fim do seu trajeto.

No que se refere aos canos de lava, é uma espécie de tradição alugar lanternas, andar quanto puder, e depois rastejar pela última câmara estreita bem no final do túnel, longe da luz brilhante do sol. A parte seguinte da tradição é extinguir a sua luz durante alguns minutos, só para assustar a si mesmo e ver como o local é escuro na ausência de toda luz.

Os meninos queriam manter esta tradição, mas quanto mais descíamos na caverna fria e escura, tanto mais nervosos eles se tornavam. A partir de uma boca enorme e aberta, onde descemos alguns degraus de uma escada metálica, o tubo de lava eventualmente se estreitou até tornar-se uma abertura mínima, a cerca de 2 km da entrada. Quando não pudemos mais caminhar – nem mesmo curvados – ficamos de joelhos e começamos a nos arrastar, entrando finalmente no pequeno espaço onde a caverna terminava com um teto baixo e um chão úmido e arenoso. Se você tem qualquer problema de claustrofobia, esta não seria uma atividade recomendável.

Segundo as instruções, deveríamos apagar as lanternas nesse ponto – nas entranhas negras da terra – mas ninguém queria realmente fazer isso. Finalmente arranjamos coragem suficiente entre nós três.

– Está bem, pai – disseram os meninos apreensivos – Apague... agora!

Uma onda de surpreendente negrume engoliu tudo. Aquilo não era escuro, era muito escuro.

A escuridão era quase palpável, com uma certa qualidade fria e líquida. Era estranho não perceber qualquer diferença entre abrir e fechar os olhos. Ninguém podia deixar de estremecer ao pensar em como seria ser cego... ou perder-se de alguma forma naquele lugar. Embora não pudesse ver o rosto deles, eu podia sentir a tensão crescente em meus filhos. Ron Jr. começou a assobiar.

De repente Marc, o menor, gritou, quase provocando um ataque cardíaco em seu irmão e em mim.

– Papai! OLHE! São olhos. É um monstro! Há um monstro aqui!

Pude sentir pelo pânico em sua voz que ele não estava brincando. Então Ron entrou na conversa – É isso mesmo, papai. Estou vendo também. Marc tem razão! Está bem ali.

Como se eu pudesse vê-lo apontando com o dedo! Os meninos fizeram com que eu ficasse procurando loucamente por uma criatura de olhos brilhantes na caverna. E então algo chamou minha atenção.

– Papai! – Marc continuou berrando, quase me ensurdecendo no ambiente confinado da pequena caverna – Acenda um fósforo, papai! Ligue a lanterna depressa, antes que ele nos ataque! Os monstros não suportam a luz.

– Filho – disse eu – Acalme-se. Não há animais selvagens aqui, prometo. Vamos esperar um pouco no escuro e ver o que pudermos enxergar. Está bem? E agora, foi isto que você viu? – Comecei a cobrir e descobrir com a mão os ponteiros luminosos do meu relógio – Está piscando para vocês agora, companheiros?

– Sim, papai – eles exclamaram em uníssono – Como fez isso?

Quando está escuro – muito escuro – você pode perder todo o sentido de perspectiva. As pequenas coisas parecem grandes e as coisas que estão próximas parecem distantes. Para os garotos, os pequenos ponteiros do meu relógio pareciam os olhos enormes de um monstro à distância e eles se achegaram a mim para buscar proteção. Com minhas mãos, eu podia tocá-los no escuro, a fim de saberem que não estavam sozinhos. Com minha voz, podia acalmá-los e dar-lhes a perspectiva adequada, assegurando-lhes de que não havia nada a temer.

É isso que o Senhor faz por nós em nossa escuridão.

Enquanto se escondia dos exércitos de Saul nas profundezas solitárias de uma caverna, Davi escreveu certa vez: "Não tenho amigos, não tenho lugar onde me esconder, ninguém se interessa por mim. Por isso, Senhor, eu oro e digo: Senhor, tu és meu lugar seguro! Tu és a minha única riqueza neste mundo" (Sl. 142.4-5, Bíblia Viva).

Davi aparentemente passou muito tempo em cavernas. Ele poderia ter escrito um excelente artigo para a revista Geográfica. Não que estivesse especialmente interessado na exploração de cavernas. Ele era um jovem que gostava de prados e espaços verdes, pastos lavados pelo sol, rios borbulhantes e as glórias do céu noturno cravejado de estrelas. Se Deus não o tivesse chamado tão distintamente para longe dos seus rebanhos, ele poderia ter-se contentado em ser um pastor itinerante, guiando as suas ovelhas e cantando salmos nas tardes longas e calmas.

Todavia, Deus tinha em mente um rebanho maior para Davi. Ele chamou Davi para um outro destino. Depois de tê-lo afastado dos caminhos pacíficos de sua infância, Deus permitiu que Davi se tornasse um fugitivo solitário da inveja assassina do rei Saul. Marcado como Inimigo Público Número Um, o filho de Jessé foi perseguido durante anos através do sertão, tendo de esconder-se nas úmidas cavernas calcárias de Judá.

Isso serviu como educação "universitária" para Davi. Ele estava obtendo seu diploma superior na Faculdade da Caverna. E quando se diplomasse, compreenderia que Deus era o seu único refúgio. Entenderia sem sombra de dúvida que a mão de Deus podia protegê-lo em qualquer escuridão. Quando chegou finalmente o dia da formatura, quando terminaram finalmente os dias de sombras e medo, ele saiu para a luz de um reino como Israel jamais vira.

Ouça alguns excertos da tese de doutorado de Davi:

"Ainda que eu ande pelo vale da sombra da morte, não temerei mal nenhum, porque tu estás comigo; a tua vara e o teu cajado me consolam" (Sl. 23.4).

"O Senhor é a minha luz e a minha salvação; de quem terei medo? O Senhor é a fortaleza da minha vida, a quem temerei?" (Sl. 27.1).

"Tu és o meu esconderijo; tu me preservas da tribulação e me cercas de alegres cantos de livramento" (Sl. 32.7).

"Temei o Senhor, vós os seus santos, pois nada falta aos que o temem" (Sl. 34.9).

"Em vindo o temor, hei de confiar em ti" (Sl. 56.3).

"Pois ele te livrará do laço do passarinheiro, e da peste perniciosa" (Sl. 91.3).

O que você faz quando está em uma caverna, sentindo-se perseguido pelo inimigo e ninguém parece se importar? O que você faz quando está frio e escuro e não há sinais de ajuda a caminho? Muito tempo após a morte do rei Davi, o profeta Isaías citou duas opções para a rebelde nação de Judá... e também para nós.

Uma opção é confiar no Senhor no escuro e esperar pelo seu livramento.

A outra opção é usar nossos próprios recursos: acender sozinhos uma fogueira para nos aquecer e iluminar. Leia cuidadosamente as palavras de Isaías:

> "Quem há entre nós que tema o Senhor, e ouça a voz do seu Servo que andou em treva sem nenhuma luz, e ainda assim confiou em o nome do Senhor e se firmou sobre o seu Deus? Eia! Todos vós, que acendeis fogo, e vos armais de setas incendiárias, andai entre as labaredas do vosso fogo, e entre as setas que acendestes; de mim é que vos sobrevirá isto, e em tormentas vos deitareis" (Is. 50.10-11).

Quando a escuridão chega às nossas vidas, quando a luz parece sumir e sentimos que o sol jamais voltará a iluminar as trevas da nossa noite, esse é o momento de "confiar em o nome do Senhor". O tempo de confiar em Deus e esperar por Ele. Os que ficam tentando fabricar apressadamente a sua própria luz e conforto, em separado de Deus, só encontrarão problemas e sofrimento no final do caminho. Tochas temporárias, feitas pelo homem, não se comparam com a luz e a beleza que Deus pode introduzir em uma vida no Seu tempo. O problema de providenciar nosso próprio fogo e proteção, segundo o profeta, é que a chama que acendemos pode vir a queimar-nos.

Quais são algumas das tochas que usamos para iluminar o caminho quando a escuridão das circunstâncias nos envolve?

Você provavelmente pode também citar algumas. A busca pelo prazer. Atividade frenética. Trabalho em excesso. Busca de dinheiro e "coisas". Álcool ou drogas. Manter relacionamentos ímpios e superficiais.

É isso que a nossa cultura faz, não é? Tantas pessoas acendendo tochas e tentando iluminar sua escuridão pessoal, tantas pessoas se queimando. A Escritura menciona um meio melhor para os que quiserem ouvir a sua recomendação. O que fazemos quando estamos no escuro? Confiamos na proteção de Deus. Confiamos em Deus para nos livrar. Esperamos que Deus nos guie e nos tire da caverna, levando-nos para a Sua luz.

Daniel foi desprezado por seus compatriotas e atirado em uma caverna cheia de leões ferozes. Ele poderia ter pagado um guarda para olhar para o outro lado e permitir que fugisse? É bem provável. Tudo indica que Daniel era um homem rico. Mas ele não agiu assim. Daniel sabia quem era o seu Salvador. Ele confiou em Deus.

Paulo foi preso em vários lugares nos últimos anos de sua vida. O apóstolo poderia ter conseguido dinheiro para um suborno, livrando-se assim da prisão? Com tantos amigos pelo mundo inteiro, ele certamente poderia ter feito isso. Atos 24.26 chega até a dizer que o governador Félix esperava um suborno que lhe permitisse libertar Paulo. Mas, o veterano missionário não agiu desse modo. Ele esperou no Senhor para livrá-lo quando considerasse oportuno. Ele descansou na proteção do seu Salvador e até chamou a si mesmo de "prisioneiro de Jesus Cristo".

O idoso apóstolo João foi exilado para a solitária ilha de Patmos. Será que poderia ter escapado? Poderia ter construído uma balsa ou chamado um barco pesqueiro que passasse por ali, ou subornado os guardas para que fosse solto? Sim, poderia ter feito algo assim, velho como era. Mas não fez. Ele confiou no Senhor.

Qual é a recompensa de confiar no Senhor? Qual o resultado de permitir que Deus seja o seu Protetor?

Para Daniel, a recompensa foi ver a mão de Deus libertando-o das dificuldades. Todos os inimigos foram destruídos em um só golpe e o imperador Dario, que era pagão, honrou o Deus de Israel diante de todos os "povos, nações e homens de todas as línguas, que habitam em toda a terra" (Dn. 6.25). O nome de Deus foi grandemente exaltado por causa da fé e confiança demonstradas por Daniel. O próprio Daniel gozou de prosperidade e paz nos anos que se seguiram.

Para Paulo, a recompensa foi experimentar a graça maravilhosa de Deus que satisfez as suas necessidades até mesmo na mais escura prisão. Paulo provou um pouco da morte e sofrimento do seu amado Senhor e também a doçura, luz e poder da Sua ressurreição (Fp. 3.10). O apóstolo teve visões magníficas do céu e escreveu cartas que iriam iluminar o caminho de inúmeras gerações de futuros crentes.

Para João, a recompensa de seu exílio solitário foi ver o Senhor como nunca o vira antes. Ele descobriu que não estava sozinho em Patmos! Em uma linda manhã de domingo o próprio Senhor Jesus foi visitar seu velho amigo. Os olhos de João se encheram com a glória deslumbrante do Filho de Deus ressurreto, e ele sentiu novamente o toque da mão do Senhor em seu ombro (Ap. 1.9-19).

Desde que você e eu não podemos ver no escuro, não temos realmente ideia de tudo o que o Senhor está fazendo por nós. É por isso que devemos simplesmente confiar nele, mesmo quando não compreendemos o que acontece ao nosso redor.

Li recentemente os diários de John Paton, um missionário do século passado. Paton e sua esposa foram chamados para ministrar em uma ilha obscura onde nenhum missionário tinha ainda posto os pés. Ela era habitada por canibais e caçadores de cabeças cruéis.

Enquanto viajavam para o seu destino, o capitão do navio tentou dissuadi-los. Ele não tinha coragem de deixar o jovem casal naquela ilha medonha. — Vocês não podem fazer isso! — disse ele. Mas desde que estavam realmente decididos, não teve outra alternativa senão colocá-los em um bote e ficar observando tristemente enquanto remavam em direção à praia.

John escreveu em seu diário como via, todas as noites, os nativos vigiando por entre as moitas, mas eles nunca atacaram.

Algum tempo mais tarde, a mulher e o filho de Paton morreram durante o parto. Ele os sepultou na praia e depois dormiu sobre as sepulturas, a fim de que os canibais não comessem os corpos. Mais tarde, um canibal foi expulso da tribo e ele e John ficaram amigos.

John não voltou para casa durante mais de trinta anos. Ele escreveu, "Cheguei ao som dos tambores dos canibais e vou embora ao som dos sinos da igreja".

No dia da sua partida, o chefe lhe disse — John, há uma coisa que nunca lhe perguntei. Você se lembra do dia em que chegou aqui e acampou na praia?

— Sim.

— De quem era aquele exército que rodeava você e sua mulher todas as noites?

A proteção de Deus está conosco sempre. Fico, porém, ima-

> "A PROTEÇÃO DE DEUS ESTÁ CONOSCO SEMPRE. FICO, PORÉM, IMAGINANDO SE ELA NÃO SE APROXIMA UM POUCO MAIS NA ESCURIDÃO SOMBRIA."

ginando se ela não se aproxima um pouco mais na escuridão sombria. Fico imaginando se Ele não chega mais perto quando estamos com medo e não achamos o caminho, procurando encontrar sua mão no escuro.

É isso que se pode esperar de um Deus que trabalha no turno da noite.

CAPÍTULO DOZE

ELE ESTÁ MOVENDO OUTROS A ORAREM POR MIM

"Longe de mim que eu peque contra o Senhor, deixando de orar por vós."

I SAMUEL 12:23

Foi "apenas um sonho".

Apenas um sonho mau no meio da noite, quando você acorda com uma sensação de medo no estômago ou um sentimento curioso de dor em seu coração, que desaparece quando desperta e percebe que os acontecimentos não eram reais.

Mas este sonho não se desvaneceu. Não era como nenhum sonho que eu tivera antes.

Neste pesadelo, a dor não foi embora quando abri os olhos. Encontrei-me ao lado da cama, chorando.

Há mais de dez anos, Joyce e eu tiramos férias na companhia de nossos amigos, Roy e Kay Hicks, e fomos para Victoria, na Columbia Britânica, enquanto nossos filhos se divertiam na fazenda dos avós em Louisiana. Nós sempre apreciamos muito a companhia de Roy e Kay e aquele dia não foi exceção, enquanto andávamos pelas ruas pitorescas e cheias de sol de Victoria, passamos tempo em pequenos salões de chá e confeitarias e exploramos os parques e jardins muito famosos da cidade.

Naquela noite, no hotel, tive, porém um sonho.

Sonhei com nosso filho mais velho, Ron Jr., que tinha cerca de quinze anos na época. Em meu sonho vi um adolescente, encostado na parede de um prédio. Era Ron, mas um Ron que eu mal reconheci. Seu rosto tinha uma expressão estranha – um ar zombeteiro e sarcástico, como nunca vi na face de qualquer de meus filhos. O cabelo dele era comprido e maltratado, usava um brinco pendurado na orelha e fumava um cigarro de marijuana com os olhos semicerrados. Alguma coisa nos olhos dele não estava certa, parecia meio fora de si. A aparência dos outros jovens apoiados contra a parede suja de tijolos era ainda pior.

E ele estava rindo.

Rindo às gargalhadas, com um riso atrevido que parecia um desafio. Estava rindo de todas as nossas crenças e tesouros familiares, de tudo pelo qual vivemos, e ficava evidente que jogara fora todas essas coisas preciosas.

O sonho foi tão real que acordei com lágrimas nos olhos. Caí imediatamente de joelhos ao lado da cama, na escuridão do quarto do hotel e comecei a orar.

"Senhor, Senhor, isso não foi verdade. Não era o meu Ron. Ele não é absolutamente assim. Ele ama o Senhor e a nós. Aquele não era o meu filho. Meu filho não é desse jeito – meu filho não vive desse modo. Ele não faz essas coisas."

Então, no silêncio daquele quarto escuro, senti a voz do Senhor me dizendo – Não, ele não é assim. Mas, se você não orar, poderia ser.

O que estava acontecendo? O Senhor estaria me dando um aviso? O sonho, de alguma forma seria – Deus não permita – um exemplo do que poderia vir a ser? Por que senti subitamente um aperto no coração ao pensar em meu filho? Por que me senti levado a orar por ele naquela noite, com urgência, intensidade e lágrimas?

Poderia ter sido "só um sonho", mas levei a sério aquele momento. Não sacudi os ombros, indiferente. Não voltei para a cama. Durante um longo tempo naquela noite, fiquei de joelhos, orando de todo meu coração por meu filho.

À medida que os meus anos de ministério passavam, formei uma convicção sobre essa coisa de acordar no meio da noite com rostos e nomes na mente. Acredito que esses rostos e nomes surgem com um propósito. Creio que existe uma razão para eu acordar, além de querer um copo d'água ou fazer um passeio do quarto ao banheiro.

A Escritura parece sugerir que assim como há ocasiões em que Deus leva um indivíduo a abster-se de alimento para um período de jejum, ele pode também levar alguém a abster-se de dormir durante um período de vigília. No escuro, no turno da noite, Deus está me levando a orar por outros. E, graças a Deus, Ele está movendo outros a orarem por mim.

Paulo sabia o que significa "vigiar" no turno da noite. No livro de 2 Coríntios, ele se sente compelido a descrever algumas das dificuldades e sofrimentos que experimentaria no ministério às igrejas novas espalhadas pelo império. Um tanto relutante, o apóstolo dá aos amigos de Corinto uma visão geral do que Deus o chamou para suportar. Perto do fim dessa lista, ele descreve uma vida transcorrida "em trabalhos e fadigas, em vigílias muitas vezes; em fome e sede, em jejum muitas vezes; em frio e nudez" (11.27). No versículo seguinte, ele fala de "preocupação com todas as igrejas".

Paulo sabia o que era acordar à noite com um nome queimando na cabeça. Paulo sabia o que era revirar-se na cama e sentir-se obrigado a levantar-se para orar por alguém cujo rosto parecia surgir repentinamente tão claro em sua mente.

Você já passou por essa experiência? Alguma vez o rosto de alguém surgiu em sua mente, sem que soubesse por quê? Já se sentiu subitamente levado a orar por um de seus amigos ou membro da família, sem qualquer razão aparente? Você já acordou à noite e se descobriu pensando em alguém? Tenho a convicção de que Deus, que nunca cochila, nos chamará em certas ocasiões para "vigiar" com Ele determinadas pessoas durante momentos especialmente vulneráveis ou críticos em suas vidas.

No Antigo Testamento, lemos a respeito de vigias sobre os muros da cidade à noite. Enquanto os cidadãos dormiam, os vigias atentos ficavam em suas torres ou patrulhavam o passeio na parte superior dos muros, perscrutando a escuridão, procurando ouvir sons estranhos na noite. A forma hebraica do verbo "vigiar" significa na verdade "olhar, perscrutar à distância, espiar, vigiar; observar algo, especialmente a fim de perceber a aproximação de perigo e avisar os que estiverem sendo ameaçados".

A intervalos, sobre o muro, a guarda era naturalmente trocada. Quando os novos vigias subiam ao muro e tomavam suas posições, os que eles substituíam voltavam para a cama pelo resto da noite.

Da mesma maneira, creio que Deus orienta Seu povo a uma vigilância especial em certas ocasiões. Se respondermos à Sua orientação, teremos o grande privilégio de "ficar de pé sobre o muro" com o Senhor... sentindo o Seu co-

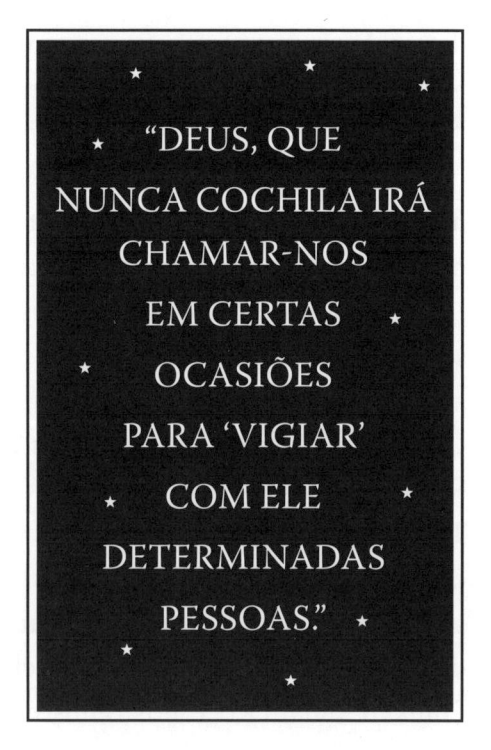

> "DEUS, QUE NUNCA COCHILA IRÁ CHAMAR-NOS EM CERTAS OCASIÕES PARA 'VIGIAR' COM ELE DETERMINADAS PESSOAS."

ração... lutando contra um inimigo comum... gozando da Sua companhia e presença no silêncio da noite. O profeta Oseias talvez estivesse refletindo sobre esta parceria com Deus no turno da noite quando escreveu: "O profeta é sentinela contra Efraim, ao lado de meu Deus" (Os. 9.8).

Esta verdade é então só para os profetas e profissionais? Sim, há uma explicação especial para eles. Se existir um pastor ou presbítero que seja verdadeiramente um pastor em sua vida, a Escritura diz então especificamente que Deus irá responsabilizá-lo por este ministério. Hebreus 13 exorta os crentes: "Obedecei aos vossos guias, e sede submissos para com eles; pois velam por vossas almas, como quem deve prestar contas" (v. 17).

Essa é uma responsabilidade que muitos pastores levam a sério. É impossível contar quantas vezes Deus me tirou da cama no meio da noite, com o rosto de alguém na tela central da minha mente. Sei que não tenho na verdade opção. Sei que tenho de levantar. Não posso simplesmente dizer a este rosto: "Espero que ela esteja bem e dormindo profundamente". Sei que o Espírito de Deus está dizendo: "Levante, Ron. Suba no muro comigo. Vamos vigiar juntos por algum tempo". Perder o sono é algo que pertence ao território do ministério pastoral.

Há pessoas que se sentem especificamente chamadas para serem "vigias ou sentinelas". Em nossa igreja, penso no avô e na avó Plunkett. Eles se tornaram pai e mãe da congregação inteira. Compareçem todos os domingos e sentam no banco da frente. São sempre os primeiros a chegar e geralmente os últimos a sair. Tomando posição na porta da frente do prédio da igreja, eles cumprimentam todo mundo. Por causa de alguns ferimentos de guerra antigos, vovô tem de ficar sentado. Fica então a cargo da vovó observar todos os que chegam. Quando vovô e vovó Plunkett olham você nos olhos e perguntam como vai e como vão seus filhos, é melhor que compreenda que eles não estão jogando conversa fora. Eles tomam nota. Depois do culto vão para casa e traduzem essas notas em pedidos de oração. A seguir, pelo resto da semana, sobem no muro! Eles oram dia e noite pelas necessidades das pessoas. Esses dois queridos e idosos santos são absolutamente incansáveis em suas orações.

Se você falou de algum problema grave com esse casal piedoso, não deve surpreender-se se eles fizerem uma inspeção em "horas estranhas". Meu telefone pode tocar às três da manhã. Enquanto resmungo um "Alô" sonolento, ouço a voz vibrante da vovó Plunket do outro lado.

– Como vai, Pastor?

– Humm, muito bem, vovó. Eu – bocejo – vou indo bem.

– Você esteve esta noite em meu coração. Orei por você.

Esse é um chamado que não me importo de atender. Pensar

que Deus, no alto do muro, de sentinela à noite, levou alguém a juntar-se a Ele no período noturno para orar por mim! O que poderia ser mais encorajador? E se você fizer parte de um grupo de crentes amorosos, é justamente isso que Ele vai fazer.

Um dos meus amigos descreve um período de ataque espiritual intenso em sua vida. De repente ele se viu presa de dúvidas sobre a sua salvação, sobre o Senhor e sobre a confiabilidade da Palavra de Deus. Ficou tão perturbado e deprimido que não poderia sequer orar por si mesmo. Deus chamou, porém, uma senhora piedosa, deficiente física para subir ao muro e "vigiar" meu amigo. Noite após noite, durante semanas a fio, essa mulher orou. Embora paralítica e confinada ao leito, as súplicas e petições dela deram a volta ao mundo. Ela orou fervorosamente por meu amigo, envolvendo-se em luta feroz com o inimigo até que, como descreveu, tivesse sentido a "libertação" do Senhor. E ela não foi a única a ser libertada! A fé voltou mais forte do que nunca ao meu amigo e as sombras de dúvida se desvaneceram.

O que acontece então se Deus o chamar para subir ao muro e você não atender?

O que acontece se o Senhor introduzir um rosto e um nome em sua mente durante a noite e você preferir virar para o outro lado e continuar dormindo?

O que acontece se você for induzido a orar por alguém e preferir ligar a TV ou ler um jornal, ou apenas remover o pensamento de sua mente?

Penso que não vamos saber isso ao certo, pelo menos não deste lado da eternidade. Em um dado sentido, nosso Deus Todo-Poderoso não depende nem se apoia absolutamente em você – ou em mim, ou em qualquer outra pessoa – para fazer as Suas obras ou executar os seus soberanos propósitos no mundo. Todavia, em outro sentido, mediante o mistério espantoso da oração, Ele nos convida para ser participantes em um mundo de realidades espirituais. Não me pergunte como isso funciona, só sei que funciona. A Escritura tem o cuidado de dizer-nos que antes de Pedro ser solto da prisão de Herodes por um mensageiro angélico, no meio da noite, "havia oração incessante a Deus por parte da igreja a favor dele" (At. 12.5).

Coincidência? De modo algum.

O que teria então acontecido se eu ignorasse aquele aviso noturno sobre meu filho há dez anos? Minha oração pelo Ron naquela noite foi uma espécie de garantia plena de que ele iria "crescer retamente"? Se eu não tivesse orado, e Ron viesse realmente a rebelar-se, teria sido "minha culpa"? Não, não podemos dizer que o futuro de qualquer criança é contingente sobre as orações da mãe ou do pai. Continua sendo verdade que cada menino ou menina deve decidir individualmente se vai ou não seguir o Senhor Jesus. Creio, no entanto, que o Senhor irá dar aos pais e às mães (e também aos avôs e avós!) a incrível oportunidade de participar de alguma maneira das batalhas espirituais mais difíceis de seus filhos. Creio também que o futuro de nossos filhos, de um modo que não chegamos a compreender bem agora, tem muito a ver com o fato de estarmos ou não orando consistentemente por eles. Se você for sensível ao Espírito de Deus, Ele irá levá-lo a orar pelos seus filhos nos momentos cruciais, nas "encruzilhadas", da vida deles.

Mas e se você não orou por seus filhos quando eles eram pequenos? Se seus filhos forem grandes agora e estão talvez vivendo afastados do Senhor? Não é tarde demais para subir no muro! Não é tarde demais para fazer uma vigília noturna ou diurna com o Senhor e orar por esses filhos adultos. Deus continua firme em seu negócio de mudar vidas, quebrar grilhões, operar milagres. Você pode ter ainda o privilégio de participar da atividade divina em relação a esse rapaz ou moça jovem a quem o Senhor ama e sempre amará.

Acho que tudo se resume nisto: você quer fazer parte do que Deus está realizando neste mundo, ou prefere ficar afastado?

Você quer ser um instrumento pronto para ser tomado por Ele e usado imediatamente, ou prefere ficar acumulando poeira como uma velha jarra em uma estante da despensa?

Você quer tomar parte em uma competição espiritual com implicações eternas, ou prefere ficar sentado no banco e olhar a vida passando à sua frente?

É pecado ignorar este ministério da oração? A Escritura certamente nos adverte sobre "apagar" o Espírito Santo de qualquer forma. Não posso deixar de pensar nas palavras do velho e piedoso Samuel ao transmitir uma mensagem firme e terna ao povo de Israel:

> "Pois o Senhor, por causa do seu grande nome, não desamparará seu povo, porque aprouve ao Senhor fazer-vos o seu povo. Quanto a mim, longe de mim que eu peque contra o Senhor, deixando de orar por vós" (1 Sm. 12.22-23).

Quer seja ou não pecado resistir a um ministério de "vigilância", uma coisa eu sei com certeza: é um privilégio inconcebível permanecer no muro com Jesus Cristo e vigiar o Seu povo. É um privilégio ficar na presença do Senhor e gozar da Sua proximidade e comunhão, enquanto Ele trabalha no turno da noite.

Quando Deus o chama para orar por seu filho – ou qualquer outro filho de Deus – não se trata de algo trivial, ao acaso. Esta pode ser a hora em que essa pessoa está tratando de um assunto crucial ou sofrendo sob um peso esmagador. Alguém "velando por sua alma" pode ser a provisão especial de Deus para ajudá-la e livrá-la nesse momento.

Gosto das palavras escritas por Paulo na prisão, a respeito de um irmão chamado Epafras:

"Perseverai na oração, vigiando com ações de graça... Saúda-vos Epafras que é dentre vós, servo de Cristo Jesus, o qual se esforça sobremaneira, continuamente por vós, nas orações, para que vos conserveis perfeitos e plenamente convictos em toda a vontade de Deus" (Cl. 4.2,12).

Essa imagem de "esforço" (luta) me faz sorrir um pouco.

Minha esposa, Joyce, nunca tomou parte em qualquer atividade desse tipo, mas ela sabe muito bem lutar em oração! Nossos filhos sabem que todas as noites a mãe deles está de joelhos em oração fervorosa por eles, algumas vezes até 2 ou 3h. A senhora paralítica que orou por meu amigo talvez nunca possa levantar-se da sua cadeira de rodas para dar uma chave de pescoço em um valentão ou apertá-lo contra o chão. Mas, quando se trata de grandes batalhas, o avô e a avó Plunkett já lutaram com inimigos tão grandes e poderosos que fariam os piores vilões da TV parecerem uma menininha ingênua.

Esqueça todos esses sujeitos musculosos. Para travar o bom combate e viver retamente para Jesus em um mundo hostil e decaído, eu prefiro a Avó Plunkett em meu time a qualquer tempo!

CAPÍTULO TREZE

ELE ESTÁ MONITORANDO MEUS PENSAMENTOS E SENTIMENTOS

*"Então perguntou Deus a Jonas:
É razoável essa tua ira?"*

JONAS 4:9

Anita Cadonau gosta muito de crianças.

Essa é certamente uma qualidade útil, especialmente porque ela administra o grande e exigente departamento de ministérios para as crianças de nossa igreja.

Ela me falou recentemente sobre Jered, um menininho da sua Escola Dominical. Anita vem observando esta criança já há algum tempo. Era um garotinho simpático, mas parecia inseguro e quase nunca sorria.

Certo dia a classe de Anita estava fazendo um exercício de desenho e Jered cometeu um erro, pintando fora das linhas marcadas no papel. Ele ficou tão frustrado que rasgou o papel em dois, jogou-o no chão e se escondeu debaixo da mesa. Quando Anita foi até o lugar dele, pôde ouvir o garotinho falando consigo mesmo.

– Você é estúpido! Não sabe fazer nada.

A professora ficou comovida. Ela pensou, se está debaixo da mesa eu também estou. Abaixou-se então e engatinhou até onde o menino se achava. Jered tinha ficado tão perturbado que nem se surpreendeu ao ver aquela senhora, vestida com roupas de igreja, arrastar-se pelo chão para ficar junto dele. O nariz do menino pingava e ele enxugou as lágrimas com as costas da mão.

– Não sei pintar nada – disse para ela – Não sei ficar dentro das linhas. Sempre faço tudo errado. Não sou bom nisso como as outras crianças.

– Quem disse que você precisa ficar sempre dentro das linhas? – perguntou Anita.

Ele olhou para ela, refletindo. Aquele era evidentemente um pensamento novo.

– Você não precisa pintar perfeitamente – disse a professora – Não é necessário ficar sempre dentro das linhas. Eu acho que você, na verdade, está indo muito bem. Ela pegou o papel rasgado dele do chão – Posso colar as partes do seu desenho? Gostaria de guardá-lo.

Os olhos do menino se arregalaram de espanto.

– Você fez um bom trabalho – disse ela.

Jered olhou para o trabalho com olhos novos – como se estivesse vendo um Van Gogh ou um Picasso pela primeira vez.

– Claro – respondeu solenemente – Pode guardar se quiser.

E ela guardou. Depois de saírem debaixo da mesa, Jered ficou observando enquanto Anita desamassava e colava as partes do desenho. Naquela tarde ela o levou para casa, colocou-o em uma moldura e o pendurou na parede. Agora, sempre que o vê, ela se lembra de orar por um garotinho que não se dá valor. Na classe, o incidente da mesa pareceu ser um ponto crítico para Jered. Ele começou a mostrar um pouco mais de autoconfiança. Começou até a sorrir de vez em quando.

A decisão de Anita de entrar debaixo da mesa não foi tão espontânea como pode parecer. De fato, ela vinha observando o menino há algum tempo. Havia notado pequenas coisas sobre suas expressões faciais e reações. Antes de Jered ter rasgado e amassado seu desenho, a sábia professora já tinha percebido que havia alguma coisa rasgada e amassada no coração dele. Enquanto ele pintava naquele dia, ela viu seu rosto ficar vermelho. Viu crescer a sua frustração. Viu seus olhos se encherem de lágrimas. Na hora em que se escondeu debaixo da mesa, ela estava pronta para mergulhar também, sem hesitação.

Esse é para mim um bom exemplo da maneira como o Senhor sempre monitora nossas necessidades. Ele conhece os nossos pensamentos. Observa as nossas atitudes. Considera os nossos caminhos. Ele está nos inspecionando continuamente, dia e noite. E ele já entrou debaixo da mesa comigo mais vezes do que desejo lembrar.

No Salmo 139, Davi disse ao Senhor: "Tu me sondas e me conheces, de longe penetras os meus pensamentos" (vv. 1-2). O que o salmista está dizendo aqui? Que Deus percebe os pensamentos de Davi à distância? Provavelmente. Mas, fico pensando se não pode também significar que o Senhor compreende os pensamentos dele quando começam a surgir em seu coração. Antes de o próprio Davi tomar consciência dos seus pensamentos, enquanto eles estão ainda ganhando forma nas trilhas sinuosas de sua mente, Deus já os sondou, já os considerou, e já os compreendeu completamente.

Mais tarde, no mesmo Salmo, ele diz: "Como é bom, Senhor, compreender que pensas em mim constantemente! Não posso sequer contar quantas vezes por dia os teus pensamentos se voltam para mim" (vv. 17-18, tradução livre).

Os nossos pensamentos não nos pertencem. Nunca foram nossos, desde os primeiros pensamentos nebulosos, centrados nas necessidades, que tivemos quando estávamos no berço, até esta manhã ao sairmos de sob as cobertas para enfrentar este dia. Temos grande habilidade para ocultar nossos pensamentos mais íntimos dos nossos entes queridos e amigos mais chegados. Não podemos, porém, escondê-los do Senhor. A cada momento do dia, Deus vigia nossos pensamentos e sentimentos. Ele sabe o que estamos pensando e aonde vamos esta noite. Ele sabe exatamente como poderia ajudar-nos se pedíssemos. Ele está vigiando, Ele se interessa, Ele se importa.

Você já teve um amigo íntimo que o procurasse todos os dias – só para saber como estava e como se sentia? Se teve, foi abençoado com um do mais preciosos tesouros desta vida. Meu amigo Roy Hicks Jr., o homem a quem dediquei este livro, foi um manancial de força para mim em minhas batalhas contra a leucemia. Eu pensava que tinha uma boa ideia de quanto seu interesse constante significava para mim. Mas só depois que ele foi chamado subitamente para ir embora no começo deste ano é que comecei a compreender melhor quanto me apoiava naqueles telefonemas diários.

Eu levantava o telefone e tão logo ouvia a voz de Roy do outro lado, me sentia melhor. Era uma terapia para mim.

Ele dizia – Como vai indo, Ronnie? Como está se sentindo? Como foi o tratamento? E o domingo? Não preciso de nada, não quero nada. Só queria que soubesse que eu o amo. Só queria contar-lhe que estou orando por você.

Algumas vezes, para ter a certeza de que estava obtendo a "história verdadeira", Roy telefonava a um de meus amigos para falar sobre mim. Que sensação gostosa saber que alguém me amava realmente e se importava tanto comigo!

Você lembra às vezes que Deus está vigiando você no transcorrer do dia? Você já pensou nele pensando e considerando as suas necessidades no turno da noite enquanto você dorme? O Senhor Jesus diz que nosso Pai conhece as nossas necessidades antes de falarmos sobre elas. Este não é um Deus que se esquece dos detalhes! Este não é um Deus que fica preocupado e se esquece de nos vigiar.

Deus não se esquece, mas eu sim. Deixo muitas vezes de olhar embaixo da mesa para ver se há alguém ali precisando de encorajamento ou ajuda.

Jamais vou me esquecer o dia em que olhei pela janela da sala e vi Mark, nosso filho mais moço, voltando da

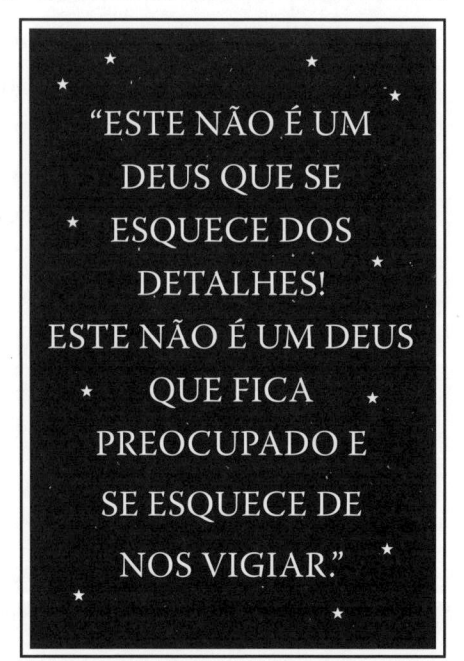

> "ESTE NÃO É UM DEUS QUE SE ESQUECE DOS DETALHES! ESTE NÃO É UM DEUS QUE FICA PREOCUPADO E SE ESQUECE DE NOS VIGIAR."

escola para casa debaixo de uma chuva forte. Mark estava na terceira série e tinha permissão de ir de bicicleta para a escola que ficava bem perto. Eu cheguei mais cedo da igreja naquele dia e estava sentado em minha poltrona, junto à janela, observando a chuva, quando vi Mark à distância, andando com dificuldade sob o aguaceiro. Suas roupas estavam encharcadas e o cabelo grudado na cabeça. Abri a porta e ele olhou com um pequeno sorriso, com o rosto avermelhado pelo frio.

– Oi, pai – disse ele – Você chegou cedo.

– Oi, filho – respondi – Você está molhado até os ossos.

– É, eu sei.

– Olhe, Mark, você sabe que se estivesse de bicicleta chegaria em casa mais depressa e não se molharia tanto.

Ele olhou para mim meio acanhado, enquanto riozinhos de chuva escorriam do cabelo para o rosto.

– Eu sei, pai.

Fiquei perplexo – Se você sabe, por que não fez isso?

Meu filho baixou então a cabeça e eu logo adivinhei. Minha vontade era entrar debaixo da mesa e me esconder por algum tempo. Ele me avisara várias vezes que sua bicicleta estava com o pneu furado e pedira, – Papai, por favor, pode consertar o pneu?

– Claro, filho – prometi – Não se preocupe daqui a pouco eu conserto – Mas não cumpri minha promessa. Esqueci completamente.

Quando entrou pela porta pingando água e tremendo, Mark poderia ter dito: "Não fui de bicicleta hoje porque alguém prometeu consertá-la e não o fez". Teria todo o direito de dizer isso. Mas, não disse. O que ele disse permanece gravado indelevelmente no coração deste pai.

– Oh, pai, eu sei como é ocupado e não queria aborrecer você, pedindo de novo para consertar o pneu.

Eu pensei: "Filho, seu pai não é ocupado demais, ele é egoísta demais".

Para mim, o pneu de uma bicicleta não era coisa importante – apenas mais um item em uma longa lista de "tarefas". Para Mark, porém, significava mais do que transporte. Significava mais do que andar para casa debaixo de chuva. Significava confiar no pai para suprir cada uma das suas necessidades.

Fico feliz porque meu Pai Celestial nunca esquece. Ele sabe quando tenho um pneu furado. Ele sabe quais são as coisas mais importantes para mim. Ele jamais falha em pesar e considerar minhas mágoas, preocupações e pressões.

Não é de se admirar, então, que Deus monitore nossas atitudes, assim como nossos atos.

Quando Roy Hicks Jr. e eu éramos adolescentes, pedimos ao pai de Roy para orar conosco. Pensamos que seria um desses períodos rápidos de oração, mas o homem era sério a esse respeito. O Dr. Hicks mandou que nos encontrássemos com ele às sete da noite para orar e como foi boa a lição que nos deu sobre o assunto. Nós conversamos e oramos, lemos e oramos. Andamos e oramos. Ajoelhamos e oramos. Eu estava ficando cansado lá pelas oito horas, mas à meia-noite ele ainda continuava impávido.

Lembro-me de ter andado por toda a igreja naquela noite. Roy Jr. e eu acabamos finalmente no berçário. Estava escuro. Ficamos sentados no chão do berçário, com as costas contra a parede, cansados, frustrados e querendo ir embora. Foi então que sentimos o Senhor falando conosco e dizendo: "Pelo menos vocês estão no lugar certo, os bebês devem ficar no berçário".

Para mim, essa não era uma ideia agradável de considerar, mas me alegro por ter ouvido Sua voz naquela noite. Alegro-me por Ele interessar-se tanto por mim e vigiar tudo o que penso, sinto e faço. Eu não deveria ficar surpreso, no entanto, pois Ele vem fazendo isso desde a aurora do tempo.

Lembra-se de Jonas? O profeta fora de sintonia esbravejou contra o Senhor por causa de um evento aparentemente trivial: a planta que protegera a cabeça de Jonas do calor do sol havia secado.

"O sol bateu na cabeça de Jonas, de maneira que desfalecia, pelo que pediu para si mesmo a morte, dizendo: Melhor me é morrer do que viver. Então perguntou Deus a Jonas: É razoável essa tua ira por causa da planta? Ele respondeu: é razoável a minha ira até a morte. Tornou o Senhor: Tens compaixão da planta que não te custou trabalho, a qual não fizeste crescer; que em uma noite nasceu e em uma noite pereceu; e não hei de eu ter compaixão da grande cidade de Nínive em que há mais de centro e vinte mil pessoas, que não sabem discernir a mão direita da esquerda?" (Jn. 4.8-11).

O Senhor argumentou gentilmente com seu servo: "Não está vendo a sua atitude, Jonas? Você se preocupa com uma planta, porque ela lhe deu um pouco de conforto em um dia quente. Mas não se preocupa com uma grande cidade onde há homens, mulheres e crianças que morrerão em seus pecados a não ser que alguém leve a eles a mensagem da salvação? Jonas, quero que você se importe tanto com as pessoas, como se importa com as plantas".

Quando Jesus confrontou os líderes religiosos de Israel com respeito aos pensamentos deles, estes ficaram zangados e estupefatos, "Jesus, porém, conhecendo-lhes os pensamentos, disse: por que cogitais o mal nos vossos corações?" (Mt. 9.4). Ninguém tivera a curiosidade de descobrir o que ficava além dos atos piedosos deles e debaixo de suas vestes de retidão, desafiando a atitude dos seus corações.

O Senhor não só monitora os nossos pensamentos, como gentilmente nos confronta, baseado naquilo que encontra neles. Se fecharmos os ouvidos à sua censura amável, Ele fará uso das medidas disciplinares mais severas. Mas, não deixará que as coisas passem em branco. Ele não é um Pai irresponsável.

Qual a nossa resposta a um Deus que nos conhece tão intimamente?

Natanael tinha qualquer ideia de que Deus o observava quando ficou debaixo da figueira (Jo. 1.47-49)? Ele sabia que Deus estava monitorando cada um de seus pensamentos? Não, até que o Senhor lhe disse, "Eu te vi, quando estavas debaixo da figueira".

Você talvez esteja debaixo da sua própria figueira, imaginando se alguém sabe ou se importa com os seus problemas. Ou, talvez, esteja debaixo da mesa como o pequeno Jered, refletindo frustrado sobre os seus fracassos.

Não cometa o erro de pensar que está sozinho ali.

Se uma professora inteligente chamada Anita ama suficientemente seus alunos para arrastar-se para debaixo de uma mesa com uma palavra terna e um pedaço de fita adesiva, então quanto mais o seu Pai celestial se agradará em escorregar para debaixo da mesa só para fazer-lhe companhia?

Mesmo que você tenha pintado fora do contorno do desenho.

CAPÍTULO QUATORZE

ELE ESTÁ PROVENDO AJUDA INCESSANTE PARA MIM

"Deus pode fazer-vos abundar em toda graça, a fim de que, tendo sempre, em tudo, ampla suficiência, superabundeis em toda boa obra."

2 CORÍNTIOS 9:8

Ele era um homem que apreciava a luz dos holofotes.

E desta vez conseguiu.

Cinco mil pares de olhos o observavam aproximar-se do buraco onde a bola devia entrar. Centenas de câmeras clicaram, giraram e gemeram. A multidão aplaudiu alegremente quando ele apareceu.

Ele estava participando do célebre torneio "Bob Hope Desert Classic" em Palm Springs, na Califórnia. Aquele não era qualquer jogador regular ou celebridade de Hollywood tomando parte no torneio, era o vice-presidente dos Estados Unidos. (Não vou dizer qual.)

Todos os olhos fitavam o homem enquanto ele dava início ao jogo. Elegante, bronzeado e vestido com uma camisa Jack Nicklaus e calças cáqui, o vice-presidente parecia certamente um golfista consumado. Até seus sapatos novos de golfe tinham um brilho especial. Ele ficou parado um momento, observando a bola com um olhar de aço. Depois, estreitou os olhos, endureceu o queixo, e colocou toda a sua força no arremesso.

Existe um termo apropriado para ilustrar o tipo de jogada do vice-presidente naquele primeiro buraco. Alguns golfistas a chamam de "mata minhocas" ("worm gooser"). É uma bola que não chega a alçar voo, ela apenas roça o solo e "mata" todas as minhocas ao longo do caminho.

Todavia, isso não foi o pior de tudo. Se tivesse sido uma bola malsucedida, que nunca subiu serenamente ao ar, mas apenas rolou e deslizou pelo caminho, teria sido pelo menos aceitável – embora não fosse uma jogada bonita. Mas, não foi o que aconteceu. A bola acabou atingindo o tornozelo de uma mulher que estava na primeira fila dos espectadores, logo atrás das cordas. Ela bateu com força e só o que se ouviu foi um sonoro CRACK!

Você sabe tanto quanto eu que Deus não acolchoou muito o tornozelo humano. Ele é basicamente feito de osso puro e o som daquele impacto foi quase tão alto quanto o do taco batendo na bola.

Depois de derrubar a mulher a bola ricocheteou, fazendo cair mais duas ou três pessoas – como um pino de boliche – antes de pousar fora dos limites. O rosto do vice-presidente ficou tão vermelho quanto o logotipo de sua camisa. Seus ajudantes e pessoal médico que estavam nas proximidades correram para verificar os estragos... e avaliar a probabilidade de um processo.

Um murmúrio percorreu a multidão e foi aumentando em um crescendo.

– Espero que ele tenha seguro! – um homem mais ousado berrou.

– Esse sujeito é perigoso! – disse uma jovem.

Frases como "Ele deve tomar algumas aulas" e "Ele precisa de ajuda" podiam ser ouvidas repetidamente entre os presentes.

É provável que ninguém nas galerias soubesse quantas pessoas o vice-presidente havia machucado no decorrer dos anos. Só naquele torneio de dois dias, ele conseguiu atingir pessoas em três incidentes separados. Não foi boa demonstração de relações públicas. Não há duvida de que o vice-presidente e todos os fiéis do partido tremeram nas bases. O mesmo aconteceu com o pobre sujeito que viu a bola chegando e começou a correr, mas ela o apanhou bem no meio das costas.

Por que ele não tomou aulas? Por que não pediu ajuda?

Quando essa pergunta foi feita mais tarde por um grupo de repórteres, a esposa do vice-presidente apenas encolheu os ombros e disse: "Ele é teimoso demais".

Teimoso demais para pedir uma pequena ajuda? Orgulhoso demais para admitir uma pequena necessidade? Por ser a segunda autoridade dos Estados Unidos, o VP deveria saber que os maiores profissionais e professores de golfe do mundo lhe dariam aulas particulares de graça. Bastava pedir. Ele poderia ter encontrado com Arnold Palmer a qualquer momento que quisesse. (Teria sido o dever patriótico de Arnie!) Esse homem poderia ter obtido ajuda em um minuto... se apenas estivesse disposto a aceitá-la.

Quem de nós não precisa de ajuda – e caminhões dela? Talvez seja por isso que Deuteronômio 33.25 tem sido um versículo tão apreciado pelos crentes no correr dos séculos. Falando através do seu servo Moisés, o Senhor disse a tribo de Aser: "A tua força será como os teus dias" (v. 25, IBB).

Note a condição desta promessa. Não é força para uma semana, um mês ou um ano.

Mas só para um dia.

Que tipo de dia? Ele está falando de um dia longo, curto, bom, ou mau? Está falando de um dia feliz ou triste? Está se referindo a um dia de grande estresse, ou um dia em que você se sente abatido pela tristeza ou sofrimento?

Ele está falando, na verdade, sobre todos os tipos de dias. Qualquer espécie de dia. Dias em que você mira o alvo e a bola some de vista. E dias em que você arremessa a bola e estilhaça uma janela panorâmica no prédio mais bonito perto do campo.

A promessa do Senhor é: "Estarei lá para dar-lhe exatamente o que o seu dia exige. Farei com que tenha força suficiente para o próximo giro na terra sobre o seu eixo. Conte com a Minha provisão de ajuda para as próximas vinte e quatro horas. Quantos dias eu lhe der, tanta será a sua força".

Um dos fatos significativos sobre a provisão do maná do Senhor para os israelitas no deserto, foi que ele a enviou para um dia de cada vez.

"Então disse o Senhor a Moisés: Eis que farei chover do céu pão, e o povo sairá, e colherá diariamente a porção para cada dia, para que eu ponha à prova e andam na minha lei ou não... vendo-a os filhos de Israel, disseram uns aos outros: Que é isto? Pois não sabiam o que era. Disse-lhes Moisés: Isto é o pão que o Senhor vos dá para o vosso alimento... colhei disso cada um segundo o que puder comer... assim o fizeram os filhos de Israel; e colheram, uns mais, outros menos. Porém, medindo-o com o ômer, não sobejava ao que colhera muito, nem faltava ao que colhera pouco; pois colheram cada um quanto podia comer" (Ex. 16:4, 15-18).

Ele forneceu maná suficiente para cada dia. Não para a semana. Não para acumular para um mês ou um ano. Apenas um dia. De fato, Ele embutiu uma condição de dependência de Si mesmo, fazendo a provisão de maná estragar-se a cada noite. O maná da véspera ficava tão desagradável quanto um peixe estragado.

Não havia despensas, refrigeradores, nem mesmo vagões-restaurante para o povo de Deus. A provisão de um dia de maná chegava à porta deles cada manhã. Eles não podiam congelá-lo, salgá-lo, defumá-lo ou colocá-lo em vasilhas de compota. Deus queria que confiassem nEle para a sua medida diária.

A lição? A ajuda de Deus é diária.

Qual a importância dessa lição simples? Quanto tempo levou para aprenderem? Só cerca de quarenta anos.

Penso que uma das razões dos israelitas começarem a murmurar e se queixar tanto foi que cada noite tinham de ir para a cama esperando, orando e confiando em que Deus lhes enviaria comida, água e ajuda na manhã seguinte. Desde que não podiam guardar o maná, tinham de confiar a cada dia que Deus cuidaria deles. Estavam sempre em uma posição de dependência e isso contraria o orgulho humano, não é? Somos o tipo de pessoa que diz: "Aprecio a sua ajuda, Senhor, mas pode deixar por minha conta agora! Conto depois o que aconteceu".

Nosso Senhor deve ter tido esta ideia em mente quando ensinou Seu povo a orar "O pão nosso de cada dia dai-nos hoje". Não parece uma frase difícil de interpretar, não é mesmo? Mas os tradutores bíblicos lutaram com esta frase durante anos. A palavra "a cada dia, diariamente" é usada, ao que parece, só uma vez no Novo Testamento. Na superfície ela certamente sugere, "suficiente para o dia", mas os eruditos continuam discutindo a esse respeito.

Há anos atrás, um arqueólogo descobriu então um pedaço de papiro antigo contendo a lista de compras de uma mulher. Nessa lista escrita em grego, estavam os alimentos que ela precisava do mercado. (Ao que eu saiba não havia cupons anexos.) Depois de cada item perecível, que se estragaria se mantido de um dia para o outro, ela escreveu: "O suficiente para um dia". Era a mesma palavra usada no Novo Testamento que os intérpretes tinham tido dificuldade em traduzir.

Pouco depois do Senhor Jesus ter ensinado os discípulos a orar: "O pão nosso de cada dia dai-nos hoje", Ele acrescentou estas palavras significativas:

"Portanto, não vos inquieteis, dizendo: Que comeremos? Que beberemos? Ou: com o que nos vestiremos? Porque os gentios é que procuram todas estas coisas; pois vosso Pai Celeste sabe que necessitais de todas elas; buscai, pois, em primeiro lugar, o seu reino e a sua justiça, e todas estas coisas vos serão acrescentadas. Portanto, não vos inquieteis com o dia de amanhã, pois o amanhã trará os seus cuidados; basta ao dia o seu próprio mal" (Mt. 6.31-34).

Por que sentimos que estamos fora da ajuda e da provisão do Senhor em certas ocasiões? Por que achamos que não temos força, energia emocional, sabedoria, ou coragem suficientes para enfrentar o dia à nossa frente? Por que nos sentimos com as mãos vazias e entramos em pânico? Talvez por estarmos querendo cobrir o ontem e o amanhã com a provisão de hoje.

Ele providencia exatamente o que precisamos e quando precisamos.

O Dr. John G. Mitchell, já falecido, fundador e professor muito querido da Faculdade Bíblica Multnomah de Portland, costumava prender a atenção dos alunos contando histórias dos primeiros dias de seu ministério nas pradarias canadenses varridas pelo vento. Naqueles dias, ele viajava longas distâncias em seu velho Ford Modelo T, pregando em pequenas comunidades que ficavam a quilômetros de uma igreja ou de qualquer testemunho do evangelho.

Praticamente sem dinheiro, uma das preocupações de Mitchell era poupar gasolina suficiente no tanque do seu velho carro. Houve ocasiões em que o pregador escocês tinha de andar quilômetros e quilômetros

> "POR QUE NOS SENTIMOS COM AS MÃOS VAZIAS E ENTRAMOS EM PÂNICO? TALVEZ POR ESTARMOS QUERENDO COBRIR O ONTEM E O AMANHÃ COM A PROVISÃO DE HOJE."

cansativos pelas campinas, parando depois em uma bomba de gasolina em algum vilarejo.

Algumas vezes, Mitchell recorda, o frentista ficava com raiva dele – O que está tentando fazer? – dizia – O seu tanque já está cheio.

Quando contava a história aos alunos espantados, ele acrescentava com um piscar de olhos – Por que o Senhor não faz isso para mim agora? Porque não preciso disso agora!

Ele dá a graça necessária para o dia.

Alguém perguntou certa vez a D. L. Moody – O senhor tem graça para a morte?

– Não, respondeu ele – Tenho graça para a vida. Mas quando morrer terei graça para a morte – Quando este momento chegou para o grande evangelista, ele estava cercado pela família. Eles se inclinaram para ouvir suas últimas palavras: "O mundo está desaparecendo... o céu está se abrindo... Deus está me chamando, e preciso ir embora".

Moody não ficou amargurado ou zangado quando a morte bateu à sua porta. Ele recebeu graça para morrer. Justamente o que precisava para aquele dia final na terra. Exatamente o suficiente.

Deus nos oferece socorro incessante. Lembro-me de quando meu filho era pequeno e pensava que era suficientemente grande para levar o lixo para fora. Quando eu ia levar as latas para a rua, ele vinha correndo atrás de mim, querendo ajudar. Ele tirava minhas mãos das alças e dizia: "Eu posso fazer isso, papai! Eu posso!". Agarrava então a lata facilmente, mas em breve o lixo se espalhava por toda parte.

Ele evidentemente precisava de ajuda, assim como nós. Mas Deus não se importa de compartilhar conosco. Acho que sozinho Ele trabalharia melhor, mas parece gostar de fazer as coisas junto com Seus filhos.

Mesmo assim, é fácil preocupar-se, não é? É fácil cair no hábito de ficar ruminando todas as possibilidades negativas em nossa mente. O salmista pensava em pessoas como nós quando disse:

> "Deus é o nosso refúgio e fortaleza, socorro bem presente nas tribulações. Portanto, não temeremos ainda que a terra se transforme, e os montes se abalem no seio dos mares; ainda que as águas tumultuem e espumejem, e na sua fúria os montes se estremeçam" (Sl. 46.1-3).

Ele é uma ajuda bem presente nas tribulações. Esse não é outro modo de dizer que Ele é uma ajuda nesta tribulação atual? O problema que está à minha porta hoje? O problema que pesa sobre mim de manhã? O problema que rói minhas entranhas na escuridão da noite? O problema que cai sobre mim de um céu sem nuvens? Ele me dará forças para enfrentar a dificuldade de hoje. Por que então fico tão ocupado pensando no que pode acontecer amanhã?

Você olha às vezes para sua filha de onze anos e pergunta como vai ser quando ela chegar à adolescência?

Você já olhou para um casal cujo filho tem síndrome de Down e disse para si mesmo, "Eu não poderia enfrentar uma coisa dessas. Morreria de desgosto. Como será que eles conseguem?"

Você já pensou sobre uma oportunidade de ministério dentro de duas semanas e disse: "Não sei como vou fazer isso. Onde encontrar forças?"

Você já considerou o sofrimento dos cristãos em um país devastado pela guerra, ou o trauma dos que perderam suas casas e entes queridos em um terremoto ou tornado e disse: "Como conseguem aguentar? Como conseguem enfrentar sequer o dia?"

O salmista diz: "Deus é um socorro bem presente", em

qualquer situação. Não importa se a terra for arrancada de sua órbita e arremessada na escuridão do espaço. Não importa se as montanhas se atirarem no meio do oceano. Não importa se toda a água do mundo avançar sobre a terra e ela tremer sob os nossos pés como um galho frágil ao sabor do vento.

Não existem problemas suficientemente grandes para esgotar Sua ajuda.

Não existem problemas terríveis demais que os Seus poderes não possam superar.

Não há situação que Ele não possa resolver. E não há situação que você não possa resolver se este Deus for a sua ajuda! Lembre-se apenas que quando precisa da ajuda dele – nesse mesmo dia e hora – ela virá a você. Graça para viver. Graça para morrer. Graça para ser e fazer tudo o que um Pai amoroso requer de nós.

Nas palavras de Paulo: "Deus pode fazer-vos abundar em toda graça, a fim de que, tendo sempre, em tudo, ampla suficiência, superabundeis em toda boa obra" (2 Co. 9.8).

Você pode telefonar ao céu a qualquer hora, sete dias por semana, vinte e quatro horas por dia, e jamais ouvirá a voz anasalada de um anjo que trabalha meio-período, ou a voz de Deus na secretária eletrônica.

Este é um Deus que opera pessoalmente a estação telefônica. Mesmo no turno da noite.

CAPÍTULO QUINZE

ELE ESTÁ ME CURANDO

"Cura-me, Senhor, e serei curado."

JEREMIAS 17:14

Há alguns anos, um amigo meu teve a honra de tomar o desjejum com o astronauta James Irwin, um dos poucos homens que andaram na lua e que está agora com o Senhor. Enquanto meu amigo estava comendo uma grande omelete espanhola, o Coronel Irwin tirou um envelope da jaqueta, retirando dele várias fotografias.

Aposto que ele quer me mostrar algumas fotos da cratera da lua ou algo assim, raciocinou meu amigo.

Ele inclinou-se interessado para olhar as fotos de Irwin e se viu contemplando uma cavidade no peito, mostrando um músculo cardíaco sangrento. Engolindo às pressas o bocado de omelete, ele olhou para o rosto animado do explorador celestial.

– Esse é o meu coração – disse Irwin com um piscar de olhos.

– É mesmo? – meu amigo engoliu em seco.

– A foto foi tirada durante minha cirurgia de peito aberto – explicou o coronel – Pedi aos médicos que tirassem alguns instantâneos depois de me abrirem. Não é comum que alguém possa ver o seu próprio coração.

– Tem razão, não é.

– Aqui está o meu fígado.

– Puxa!

– E aqui o intestino grosso.

– É mesmo.

Eles continuaram comendo e meu amigo ficou imaginando se poderia vir a pensar em frases como "abrir meu coração pra você" ou "mostrar-lhe minhas entranhas" do mesmo modo dali por diante.

A cirurgia a céu aberto, embora comum nestes dias, continua sendo considerada como medicina radical. Nenhum médico compassivo deseja recomendar a abertura do peito de alguém.

Se a pessoa tem algumas artérias entupidas no coração, a maior parte dos cardiologistas irá considerar primeiro outros meios menos drásticos de aliviar o perigo e a dor – regime, medicamentos, exercícios, angioplastia etc.

A cirurgia de peito aberto é o último recurso.

Mas funciona.

Em análise final, é Deus quem conhece todos os nossos males, sejam do corpo ou da alma. E Ele tem uma cura para cada um. Como o Grande Médico, Ele sabe tudo que é necessário saber sobre cardiologia, fisiologia e psicologia. Ele nos criou, nos conhece e pode curar-nos.

Jeremias disse tudo quando orou:

"Cura-me, Senhor, e serei curado, salva-me, e serei salvo; porque tu és o meu louvor" (Jr. 17.14).

Fico comovido com a confiança do profeta. Embora Jeremias vivesse a grande parte de sua vida nas sombras do desapontamento, rejeição e muito sofrimento, ele tinha certeza que o Senhor conhecia intimamente as suas necessidades e estava trabalhando em sua vida. Tinha confiança em que Deus iria curá-lo e livrá-lo, qualquer fosse o método que escolhesse. Os métodos do Grande Médico são muitos e algumas vezes extraordinários aos nossos olhos.

Quando Jesus andou entre nós, Ele cuspiu nos olhos de um homem e fez com que ele enxergasse. Isto é, não literalmente dentro dos olhos, mas bem perto.

Ele mandou que outro fosse lavar-se em um tanque sujo.

Ele curou uma mulher quando ela simplesmente tocou em sua roupa.

Ele esperou até que seu amigo Lázaro estivesse enterrado há quatro dias antes de responder ao chamado urgente da família.

A maleta de médico do Senhor está cheia de opções e uma dessas opções é a cirurgia. Ele sabe quando deve usar um escalpelo. Sabe quando a cirurgia é o único método de cura. Sabe quando uma cirurgia simples resolverá o caso e quando deve cortar profundamente.

Você se lembra do primeiro paciente dele? Adão era um homem sadio, mas tinha uma dor profunda na alma chamada solidão. Era um sofrimento tão grande que nenhuma terapia alternativa poderia resolver. Ele teve então de submeter-se à faca de Deus.

> "Então o Senhor Deus fez cair pesado sono sobre o homem, e este adormeceu; tomou uma das suas costelas, e fechou o lugar com carne. E a costela que o Senhor Deus tomara ao homem, transformou-a em uma mulher, e lha trouxe" (Gn. 2.21-22).

Deus levou Adão à sala de recuperação e ele teve uma enorme surpresa ao voltar a si! Havia uma visitante maravilhosa à sua espera. É claro que lhe faltava uma costela, mas duvido que tivesse notado a falta. Aposto que se sentiu mais inteiro e otimista do que jamais se sentira em sua vida.

Essa não foi apenas a primeira cirurgia registrada, mas foi a primeira vez em que se usou a anestesia. Deus "fez cair pesado sono sobre o homem", antes de abrir o seu lado. Depois, na escuridão em que Adão se achava, o Grande Médico fez uma obra profunda na vida do homem.

A escuridão, segundo vim a crer, é a anestesia de Deus.

O Deus que trabalha no turno da noite, algumas vezes envia profunda escuridão às nossas vidas antes de começar certos processos cirúrgicos. Ele nos faz ficar sozinhos, vulneráveis, remove as distrações externas, e depois começa a operar.

Meu amigo íntimo, Blake Wesley, refletiu comigo recentemente em relação a um período desses em sua vida. Quando me encontrei com ele pela primeira vez, Blake era um jovem canadense de cabelos vermelhos, jogando para um clube semiprofissional de hóquei aqui em Portland. Beth, sua linda noiva, era membro de nossa congregação. Quando eles começaram a namorar, ela tomou a decisão de levar seu noivo atleta para a igreja. Eles frequentavam o culto noturno aos domingos, sempre que o time dele estava na cidade, e com o correr do tempo vi o relacionamento deles crescer e acabei celebrando o casamento dos dois.

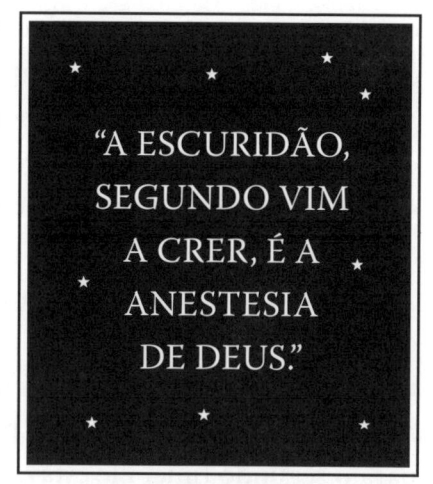

Blake foi chamado para jogar no Philadelphia Flyers e jogou no NHL durante oito anos. Nos anos que passou na liga, ele ficou conhecendo intimamente tanto palácios esportivos como o Madison Square Garden, o Fórum de Los Angeles e o infame estádio de Chicago. Blake fez sucesso imediato entre as fãs em Filadélfia, que o apelidaram de "Big Red". Ele tinha muito dinheiro, ficava nos melhores hotéis e tinha tudo que um rapaz canadense já sonhou. Acima de tudo, tinha uma esposa doce e bonita e três filhos que o adoravam. Ninguém poderia ter pedido mais.

O hóquei, no entanto, pode ser um esporte que não perdoa. Os rigores do jogo começaram a prejudicar Big Red. No curso de sua carreira, Blake passou por várias cirurgias nos joelhos, cotovelos e pulsos, tendo de dar mais de 200 pontos no rosto. Uma dor constante passou a acompanhar cada movimento dele sobre

> "A ESCURIDÃO, SEGUNDO VIM A CRER, É A ANESTESIA DE DEUS."

o gelo e ameaçou finalizar sua carreira. Como outros atletas antes dele, Blake também descobriu que ingerir analgésicos para aliviar a dor permitia que jogasse embora machucado. Seu prazer em ser o centro das atenções no esporte levaram-no a outros vícios mais sombrios. Primeiro os analgésicos. Depois a bebida e, finalmente, as drogas.

Blake era seu próprio anestesista, mas não foi muito cuidadoso. Tornou-se insensível a várias coisas e isso começou a influenciar seu jogo e seu lar. Com o tempo, o orgulhoso veterano, ferido de guerra, da NHL, passou pela humilhação de descer para o segundo time. Ele estava tão mal emocional e fisicamente, e se tornando tão irresponsável como pai e marido, que Beth sentiu-se obrigada a fazer uma mudança. Ela não podia permitir que os filhos assistissem à autodestruição do pai.

O resultado foi uma conversa breve e intensamente penosa. Beth disse a Blake que ainda o amava, mas ia deixá-lo. Ela levaria os filhos de volta a Oregon até que ele estivesse pronto para tomar conta da família como ela sabia que ele tinha condições de tomar.

Ela partiu então com os filhos.

Blake nunca se sentira tão só na vida. Nunca pensara que a escuridão fosse tanta. Ele vivera para o hóquei e agora isso estava chegando ao fim. Sua equipe acabara de ser eliminada das finais. Blake era o capitão do time, mas o treinador lhe disse: "Red, você não vai jogar nunca mais para esta organização. Queremos que endireite a sua vida e volte para sua família".

A família, no entanto, também se fora. Sua esposa. Seus filhos. Sua carreira. Seu dinheiro. Sua autoestima. O que ficara? Ele sentou na escuridão de um quarto de hotel de segunda, sentindo-se solitário, zangado, e muito abatido. Blake não sabia naquela hora – mas ele estava sendo operado. Nesse mais sombrio dos momentos de sua vida, o Senhor estava cortando pele, músculos e ossos – por meio do ego, do orgulho e do egoísmo – sondando as partes mais profundas do coração daquele homem. O Cirurgião Mestre estava trabalhando com seu bisturi.

Inexplicavelmente, Blake lembrou-se do Senhor. Ele sentiu uma presença poderosa encher o quarto e foi levado a ajoelhar-se. O enorme peso dos fracassos, escolhas insensatas e pecados se abateu sobre os seus ombros. Ali, no escuro, naquele quarto de hotel de segunda categoria, ajoelhado junto à cama, Blake se entregou nas mãos do Cirurgião. Ele ofereceu sua vida a Jesus Cristo. Rendeu-se incondicionalmente. Com a ajuda de Deus, queria começar de novo. Queria ser o marido e o pai que o Senhor sempre quisera que fosse.

Tateou em busca do telefone e discou um certo número no Oregon.

– Beth – disse ele – acho que quero voltar para casa.

Se você já se submeteu a uma cirurgia grave, sabe que ao sair da anestesia pode sentir-se tonto e desorientado. Você começa a sentir a dor da operação. O mesmo acontece com a cirurgia do Senhor. A cura exige paciência e tempo. Blake teve de passar pelos rigores e pela humilhação do tratamento para reabilitação das drogas e entrar em um período de aconselhamento prolongado com uma esposa que negligenciara por tempo excessivo. No entanto, assim como a dor da operação é evidência da cura interior, as feridas e atordoamento restantes em nossas vidas são um atestado da obra profunda que Deus está realizando.

No final, o Senhor reconciliou essa maravilhosa família e, até hoje, eles são uma grande benção para a nossa congregação.

A cirurgia, como vê, pode mudar o coração de um homem ou uma mulher. Ela pode não só curar o seu corpo, como modificar toda a sua perspectiva de vida. Não consigo deixar de pensar em um certo rei que se submeteu a uma extensa cirurgia. Foi a operação mais drástica concebível, mas deu certo!

Você se lembra do relato bíblico sobre o grande Nabucodonosor, rei da Babilônia e de todo o mundo conhecido? O Senhor amava este rei vaidoso e fez uso da técnica cirúrgica mais radical para curar um defeito congênito no coração de Nabucodonosor, glorificando-se a Si mesmo no processo.

O profeta Daniel havia avisado o rei que alguma coisa ia acontecer. Deus estava prestes a fazer algo tão terrível na vida do rei que deixou Daniel perplexo e aterrorizado. O piedoso profeta recomendou que o poderoso imperador modificasse imediatamente suas atitudes, a fim de evitar a cirurgia. Todavia, apesar desse aviso, o rei recusou ceder. Considere por um momento o relato espantoso do que aconteceu a seguir.

> "Todas estas coisas sobrevieram ao rei Nabucodonosor... passeando sobre o palácio real da Babilônia, falou o rei, e disse: Não é esta a grande Babilônia que eu edifiquei para a casa real, com o meu grandioso poder, e para glória da minha majestade? Falava ainda o rei quando desceu uma voz do céu: A ti se diz, ó rei Nabucodonosor, já passou de ti o reino. Serás expulso de entre os homens, e a tua morada será com os animais do campo; e far-te-ão comer ervas como os bois, e passar-se-ão sete tempos por cima de ti, até que aprendas que o Altíssimo tem domínio sobre o reino dos homens, e o dá a quem quer" (Dn. 4.28-32).

Nabucodonosor foi levado às pressas para o centro cirúrgico de emergência (não era eletivo). Na mesa de operação, o Cirurgião separou o rei da sua sanidade. Durante sete anos, ele vagueou pelos campos da Babilônia em profunda escuridão mental. Começou a assemelhar-se a um animal selvagem. As unhas das mãos e dos pés se tornaram como garras, e pastava nos campos como um boi.

Durante sete anos, através da longa noite de insanidade de Nabucodonosor, Deus estava realizando uma obra profunda em seu coração. Depois de completada a cirurgia, o Cirurgião fechou o tubo de anestesia e o rei voltou a si.

> "Mas, no fim daqueles dias eu, Nabucodonosor, levantei os olhos ao céu, tornou-me a vir o entendimento, e eu bendisse o Altíssimo, e louvei e glorifiquei ao que vive para sempre, cujo domínio é sempiterno, e cujo reino é de geração em geração. Todos os moradores da terra são por ele reputados em nada; e segundo a sua vontade ele opera com o exército do céu e os moradores da terra; não há quem lhe possa deter a mão, nem lhe dizer: que fazes?" (Dn. 4.34-35).

A sanidade foi restituída a Nabucodonosor, mas agora ele passou a ver o que não enxergava antes. Ele agora compreendeu e reconheceu o que se recusara a reconhecer toda a sua vida. "Deus é o verdadeiro Rei! Deus é o verdadeiro Soberano! Ele faz o que quer fazer e todos são insignificantes e fracos diante dele!"

Por que Nabucodonosor ficou insano durante sete anos? Por que a sua cura exigiu todo esse tempo? O rei respondeu à cirurgia divina e foi curado, assim como Blake Wesley respondeu e encontrou a cura.

A doença e as dificuldades são então sempre um "castigo" divino para nos fazer mudar? Claro que não. A doença e as tribulações sempre estarão presentes neste mundo decaído, como o

Senhor nos disse que aconteceria. Mas a maneira como reagimos a esses eventos negativos – não importa como entrem em nossa vida – irá nos levar ao resultado final.

Devemos dobrar os joelhos perante o Rei Jesus.

Devemos submeter nossas vidas, sonhos, planos, esperanças, temores e ambições ao Deus Altíssimo, o Pai celestial que tanto nos ama. Aquele que conhece o princípio e o fim, sabe exatamente o que está fazendo em nossas vidas e devemos confiar nele sem reservas. Não importa o que aconteça.

Será possível que nos períodos de escuridão aparente, Deus esteja desejando comunicar alguma coisa sobre a cura a você e a mim?

Não estou dizendo que a "anestesia" de Deus irá deixar nossas vidas livres do sofrimento. Nem estou dizendo que jamais sentiremos a espada da Palavra de Deus cortando o câncer espiritual no mais íntimo do nosso ser. O que estou dizendo é que nas horas mais sombrias, nas noites mais escuras, Deus pode estar nos preparando para receber exatamente aquilo que precisamos.

A cirurgia divina pode não só salvar as nossas vidas, como também realizar uma obra extraordinária em nosso interior que seria impossível efetuar de qualquer outro modo.

Dizem que quando escolhemos um cirurgião devemos escolher alguém positivo, otimista e que saiba que pode ajudar. Ele deve ter mãos firmes, olhos penetrantes e um profundo conhecimento do que vai fazer. Não deve receitar remédios paliativos, nem prescrever um curativo Band-Aid para uma artéria rompida.

É apenas natural que sejamos ansiosos. É natural fazer perguntas ao cirurgião: Quanto tempo vai durar? Vou sentir dor? Será que vai dar certo? Vou viver? Esta é a hora adequada?

Eu escolhi confiar no Grande Médico. Ele conhece meu histórico médico. Seu consultório está sempre aberto e Ele continua visitando os pacientes em casa.

A propósito, gostaria de mostrar-lhe alguns instantâneos de minha cirurgia no coração de peito aberto, mas não foi possível.

Este Cirurgião trabalha melhor no escuro.

CAPÍTULO DEZESSEIS

ELE ESTÁ DIRIGINDO CIRCUNSTÂNCIAS DESCONHECIDAS PARA MIM

"O zelo do Senhor dos Exércitos fará isto."

ISAÍAS 9:7

Quando eu morava em Bloomington, o pequeno espetáculo da nossa igreja no Natal era uma grande produção.

O que mais você pode fazer no inverno de Minnesota senão jogar hóquei ou pescar no gelo?

Os ensaios para a peça começavam em setembro e as crianças trabalhavam duro no outono para aperfeiçoar seus papéis. Todos menos eu. Eu recebia o mesmo papel ano após ano. Todos diziam que ele era natural em mim, que eu era o melhor jumento que já haviam arranjado para a peça.

Não, não era O Milagre Natalino na Catedral de Cristal, e não tínhamos camelos galopando pela nave ou anjos voando sobre a congregação em fios invisíveis, mas havia algumas ovelhas em nossa produção. Nós as tomávamos de empréstimo dos Larson. Tivemos também um cão chamado Bart, alguns patos e até um bezerro. Mas ninguém na congregação tinha um burro e custaria metade do nosso orçamento alugar um, portanto, isso ficava a meu cargo.

A irmã Meritt, diretora permanente, não era nem Steven Spielberg nem Francis Ford Coppola. Mas a peça de Natal era a vida dela e punha então tudo de si no empreendimento. Ela nos obrigava a trabalhar com meses de antecedência e depois dos três primeiros dias de janeiro já estava pensando em aperfeiçoamento para o espetáculo do ano seguinte.

Lembro-me, como se fosse ontem, do desfile de anjos, pastores, ovelhas, estalajadeiros, e Maria e José. Esse negócio de preparar um espetáculo teatral incluía uma porção de coisas. Era preciso ter certeza de que a cortina iria subir e descer no momento certo, que os animais se comportariam bem no santuário, que os anjos e os pastores entrariam na hora marcada, e que todos se lembrariam de suas falas. (Nada de tão difícil no meu papel. Aquele não era a jumenta falante de Balaão nem o Mr. Ed!)

Não importa qual a sua experiência com programas de Natal, você não pode realizar uma produção dessas sem gastar muito tempo, dinheiro, trabalho e alguns arranjos e negociações sérios por trás das cortinas. Você geralmente tem de resolver problemas como uma epidemia de sarampo, diáconos econômicos e tempestades de neve, os sentimentos feridos da Sra. Lindskgoog, pastores que não aparecem, e a família Landstrom que fica perguntando por que nunca usa as ovelhas deles. Adicione luzes, música, trajes, efeitos especiais e sanduíches para os ensaios de sábado, e terá um grande negócio nas mãos.

Se pensarmos bem no assunto, o Senhor é como um grande diretor.

Ele verifica se tudo trabalha em sintonia nas nossas vidas, na hora apropriada, com o propósito certo. Ele arranja tudo como a irmã Meritt, mas vem planejando as coisas desde a eternidade e não apenas desde o último janeiro. Ele sabe quando levantar e quando baixar as cortinas, quando soprar nossas falas, quando colocar-nos sob a luz dos holofotes, e quando está na hora do cenário mudar.

Sempre fiquei imaginando como o primeiro espetáculo de Natal foi realizado sem uma falha. A propaganda fora feita séculos antes, havendo então muita expectativa por parte de todos. Deus escreveu o roteiro e depois produziu e dirigiu todo o evento, mas mesmo Maria, a mãe designada do Senhor, perguntou a Gabriel: "Como será isto?".

Pergunta profunda, Maria.

Como tudo isso seria realizado? Como uma jovem virgem podia estar grávida? Como o poderoso Filho de Deus, a eterna Segunda Pessoa da Divindade, podia descer da Glória para o tempo e o espaço e nascer na terra como um nenê indefeso?

Como Deus poderia arranjar todas as circunstâncias de maneira que uma longa lista de profecias do Antigo Testamento pudesse ser cumprida ao pé da letra? Como tudo se ajustava? Como podia acontecer? Como será isto?

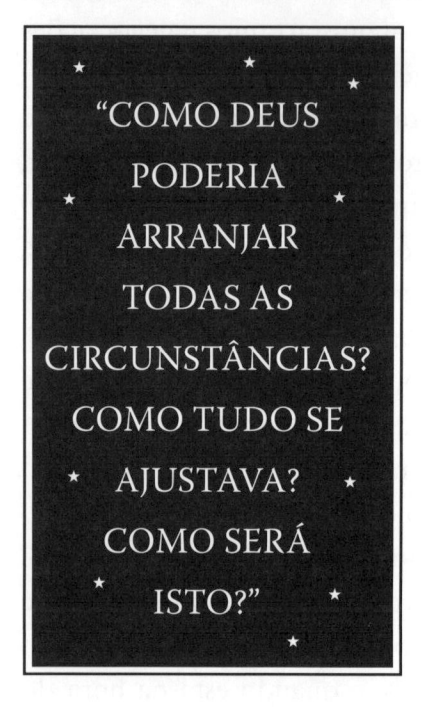

> "COMO DEUS PODERIA ARRANJAR TODAS AS CIRCUNSTÂNCIAS? COMO TUDO SE AJUSTAVA? COMO SERÁ ISTO?"

A resposta a essa pergunta está guardada no nono capítulo de Isaías. Uma pequena declaração revela tudo: "O zelo do Senhor dos Exércitos fará isto" (Is. 9.7).

O dicionário descreve zelo" com as palavras: "Grande entusiasmo, como quando se trabalha para uma causa; empreendimento ou devoção ardente; fervor ou paixão".

O zelo de Deus é seu compromisso firme, incansável, intransigente, de cumprir a Sua vontade. Nada neste universo irá impedir o caminho do zelo do Senhor! Nenhum presidente na Casa Branca ou no Kremlim, nenhum rei no seu trono, nenhum exército ou arsenal. Nada alto ou baixo, grande ou pequeno, vivo ou morto, visível ou invisível irá prejudicar ou impedir a Sua obra. Nada, absolutamente nada. Ele irá cumprir o que se determinou a fazer. Está apaixonadamente decidido a isso.

Quando se tratou de enviar Seu Filho para ser nosso Salvador e Redentor, Deus fez o que tinha a fazer por trás do cenário para que acontecesse. Ele colocou Herodes no trono, César em Roma, os mágicos no Oriente, os pastores nos campos, os anjos no céu. Ele cutucou César para exigir um imposto que exigiria a presença de Maria e José em Belém. Ele fez com que os hotéis ficassem lotados, a fim de que Cristo pudesse nascer em uma manjedoura.

Isso aconteceu durante toda a existência de Jesus, conforme os anos seguiam o seu curso. Com centenas de profecias do Antigo Testamento sobre o nascimento, vida e morte de Cristo, fico ainda surpreso ao ver como Deus cuidou para que cada detalhe ocorresse no momento exato, tudo segundo as Escrituras.

Isaías 7.14 profetizou que Ele nasceria de uma virgem. Ele nasceu.

Miqueias 5.2 disse que ele nasceria em Belém. Isso aconteceu.

Isaías 9.7 insistiu em que ele seria um descendente direto do Rei Davi. E foi mesmo assim.

Zacarias 9.9 declarou que Ele entraria um dia em Jerusalém montado em um jumento. Ele entrou.

Zacarias 13.6 declarou que Ele seria traído por um amigo. Ele foi.

Zacarias 11.12 estabeleceu o preço da traição em 30 moedas de prata. Judas o recebeu.

Zacarias 11.13 especificou que o dinheiro da traição seria "arrojado ao oleiro". Ele foi usado para comprar o "campo do oleiro".

Isaías 53.7 previu que Jesus seria oprimido, afligido e levado a julgamento; todavia, embora inocente não ofereceria defesa. Foi exatamente isso que aconteceu.

A lista continua, e Ele preparou cada linha, cada cena, cada diálogo. Ele reuniu tudo e aconteceram conforme planejado, na hora certa. Cada profecia antiga de Sua primeira vinda foi perfeitamente cumprida. O seu zelo cumpriu tudo.

Já experimentei o zelo do Senhor na direção de circunstâncias em inúmeras ocasiões. Em coisas grandes. Em coisas pequenas. Em coisas médias. Uma coisa grande para mim foi a sucessão de eventos que levou ao meu casamento com Joyce. Deus escreveu o roteiro e depois o produziu. Ele até deu a este velho jumento uma sugestão ou duas, desta vez!

Eu morava em Bloomington, Minnesota. Joyce vivia em Shreveport, Louisiana. Eu frequentava uma igreja independente e ela também. Fui a um acampamento da igreja em Wapaca, Wisconsin, e fiquei conhecendo o Rev. e a Sra. Chuck Updike que pastoreavam em Winterset, Iowa. Joyce, na mesma ocasião, foi para a América do Sul e conheceu o pai e a mãe de Chuck, o Rev. e a Sra. Claude Updike, missionários na Guatemala.

Chuck me animou a ir para a Faculdade Bíblica L.I.F.E. em Los Angeles. Joyce foi aconselhada pelos Updikes mais velhos a frequentar a mesma escola. Ambos aceitamos a sugestão, e dali por diante eu controlei os acontecimentos (ou pensei que controlava). Ela namorou um amigo meu, Roy Hicks Jr., durante algum tempo e tive de enfrentar a situação. (Foi então que meu zelo entrou em cena.)

Como é possível fazer com que dois adolescentes, inclinados para o ministério, um do Norte gélido e outro do Sul acadiano, se encontrem no meio de Los Angeles sem que Deus faça parte da operação? Como será isso possível? Vou lhe contar como. Deus está comprometido com um zelo intransigente em ver Sua vontade realizada. Dou crédito a Deus por me ajudar a encontrar Joyce. Depois de arranjar o Natal, essa foi provavelmente a melhor coisa que Ele já fez.

Quando faço um retrospecto do "espetáculo teatral" da minha vida, um de meus maiores consolos está em compreender que mesmo que eu esqueça a hora de entrar em cena ou a minha fala, nosso Deus soberano pode mesmo assim apresentar uma produção perfeita. Não me pergunte como, porque da minha perspectiva, isso não faz muito sentido. De algum modo, em Seu plano perfeito, todas as minhas trapalhadas, bazófias, alvos não cumpridos e sonhos frustrados de maneira alguma impedem que Ele cumpra a Sua vontade. É o zelo do Senhor que realiza as coisas e não competência e perfeição de Ron Mehl. E todos podemos nos alegrar com isso!

Lembro-me de uma sessão específica de aconselhamento, no começo do meu ministério. Eles eram um casal bem jovem, cujo casamento estava vacilando e alguém os enviou ao pastor Ron para endireitar as coisas. Sou geralmente muito cuidadoso e amável em meu aconselhamento, fazendo perguntas, citando a Escritura, tomando tempo suficiente para tratar com as pessoas, e tentando confortar e encorajar os indivíduos perturbados que me procuram.

Mas, havia alguma coisa diferente desta vez.

Por alguma razão inexplicável, senti a necessidade de ser incisivo e direto em minhas palavras. Ainda estremeço ao lembrar do que disse. Depois de ouvi-los durante algum tempo, sem fazer uma pausa sequer para pensar no assunto, apenas disse a eles o que achava que deviam fazer e a razão para isso.

Bang! Zap! Nossa sessão terminara. Eles deixaram meu escritório parecendo bem espantados.

Depois da saída do casal, um grande peso caiu sobre mim. O que fizera? Por que dissera aquelas coisas? No que estava pensando? Fiquei praticamente doente, não podia acreditar que pudesse ter sido tão ousado, tão duro, tão insensível. Senti um estranho impulso de entrar no carro, ir até a casa deles, bater na porta e desculpar-me pela minha grosseria. Mas estava envergonhado demais e apenas me arrastei pelo resto da semana.

Três ou quatro dias mais tarde, um amigo íntimo do casal veio falar comigo em particular. Quando vi a expressão preocupada de seu rosto, meu nível de estresse alcançou a risca vermelha.

– Pastor – disse ele – tem um minuto? Gostaria de falar-lhe sobre o que disse aos meus amigos.

"Oh, pensei eu. Aqui vamos nós."

Antes de o homem ter se sentado em meu escritório, comecei a me defender.

– Agora, antes que diga alguma coisa – gaguejei, deixe-me explicar, por favor.

– Não – começou ele – quero contar-lhe primeiro.

Ele olhou para mim por um momento – com uma expressão meio zombeteira – e senti o sangue fugir do meu rosto. Fiquei pensando se poderia arranjar um emprego vendendo apólices de seguro.

– Pastor – começou ele – o senhor nunca deixa de surpreender-me...

"É verdade, eu surpreendo a mim mesmo às vezes", pensei.

– Minha mulher e eu estamos espantados com a incrível sabedoria que Deus lhe deu.

Sabedoria?

– Pastor, não pode imaginar o que suas palavras significaram para meus amigos. Aquela sessão de aconselhamento mudou a vida deles. Pode-se dizer que estão totalmente diferentes. Não podemos agradecer suficientemente ao senhor pelas suas palavras e conselhos. Estamos felizes por ter recomendado que o procurassem.

Ele apertou minha mão, sorriu cordialmente e balançou novamente a cabeça, pasmo com a minha sabedoria. Depois acrescentou: "O que é mesmo que desejava falar-me sobre a sua entrevista com eles?".

– Oh, nada realmente. Foi difícil. Quero dizer, não foi fácil. Mas acredito que eu disse o que precisava ser dito!

Acho que entendo o que Shakespeare queria dizer com as palavras, "O mundo inteiro é um palco". É assim que me sinto frequentemente em minha vida e ministério. Como se estivesse sozinho em um palco, confuso sobre o que devo falar, improvisando, dizendo as coisas erradas, e imaginando o que fazer em seguida. Houve ocasiões em que esqueci minha fala e orei sinceramente para que as cortinas se fechassem, a fim de esconder-me por trás delas. Houve ocasiões em que desejei usar novamente minha fantasia de jumento e ficar livre de tudo. Mas, de algum modo, Deus inseriu minhas falhas e vacilações corretamente em Seu roteiro perfeito. Que grande Diretor!

Concordo com o salmista que não queria nada além de declarar a bondade do Senhor cada manhã e Sua fidelidade a cada noite. Por quê? Porque...

"Pois me alegraste, Senhor, com os teus feitos; exultarei nas obras das tuas mãos. Quão grandes, Senhor, são as tuas obras! Os teus pensamentos, que profundos" (Sl. 92.4-5).

Há centenas de anos, a mãe de Agostinho pode ter cantado esta mesma canção. A piedosa Mônica orou fervorosamente por seu filho. Acima de tudo o mais, ela queria que ele conhecesse Cristo. O jovem Agostinho, porém, era obstinado e carnal. Ele foi criado em um lar cristão, mas não estava preparado para tomar um compromisso. Foi ele que orou, "Senhor, purifica-me – mas não ainda".

Certo dia ele anunciou à mãe sua intenção de visitar Roma. Era ali que as coisas aconteciam. Era ali que queria viver. Mônica ficou muito aflita e começou a orar, "Deus, não permita que ele vá para Roma. Não deixe meu filho ir para esta cidade perversa". A carnalidade e o pecado imperavam em Roma – não era um lugar para um jovem vulnerável com apetites fortes e uma fé vacilante. Mônica orou para que o Espírito de Deus convencesse Agostinho e o mantivesse em casa.

Embora ela tivesse orado, Agostinho fez as malas e viajou. Mônica só podia entregá-lo nas mãos de Deus e continuar orando. Algum tempo depois da sua chegada, um conhecido persuadiu Agostinho a ouvir Ambrósio, o renomado e talentoso comunicador cristão. Agostinho aceitou com certa relutância o convite, mas só por estar seriamente interessado em oratória. Para grande desconforto do jovem, Ambrósio lançou-se em sua mensagem com uma descrição vívida das consequências do pecado. Com grande paixão, ele descreveu a dor, a devastação e o custo incalculável da desobediência a Deus. Os primeiros versos lidos por Ambrósio foram extraídos de Romanos 13: "Mas revesti-vos do Senhor Jesus Cristo, e nada disponhais para a carne, no tocante às suas concupiscências" (v. 14).

Agostinho, como se sabe, entregou sua vida a Cristo e veio a tornar-se um dos maiores teólogos e pensadores cristãos de toda a história. Deus preparou o cenário para a sua conversão. Não foi como sua mãe planejou ou dirigiu. Provavelmente não foi como você e eu teríamos feito o roteiro. Mas o Diretor conhece o começo e o fim, assim como tudo que está no meio. Ele é tanto o Autor como o Consumador da nossa fé. Rearranjar um pequeno cenário para levar um jovem a Cristo não é absolutamente problema.

Algumas vezes eu gostaria que pudéssemos olhar por trás da cortina de nossa vida e ver o zelo de Deus. Como Ele move e arranja as pessoas, o tempo e as circunstâncias para realizar a Sua vontade. Nada o apanha desprevenido. Nada o pega de surpresa. Ele já previu tudo.

Lembro-me de ter viajado com nossa pequena família de Kenosha, Wisconsin, para Los Angeles, Califórnia, em nosso Chevrolet amarelo. Éramos jovens e Ron Jr. e Mark ainda eram bem pequenos. Enquanto percorríamos a estrada, era comum que eles chilreassem do assento traseiro – Papai, papai, podemos parar em um hotel que tenha piscina?

Eu respondia – Estão brincando? Pensam que sou feito de dinheiro?

Dez minutos mais tarde – Pai, podemos parar para comprar balas? Papai, podemos parar para comprar pipoca?

– Parem com isso, rapazes. Não temos dinheiro para essas coisas. Vocês pensam que o dinheiro cresce em árvores? (Essa era uma expressão que minha mãe costumava usar.)

Meus garotinhos não estavam pedindo a lua. O pedido deles não era fora de propósito. Mas eu disse não.

Na verdade, eu não fizera planos detalhados para a viagem. Só pensei nas coisas básicas – alimento, abrigo e gasolina – mas não incluíra em planos gastos extras como piscina e doces. Só havíamos poupado o necessário para fazer a viagem.

Como eu gostaria de reviver este episódio. Não teríamos dinheiro para o Hotel Hilton, mas se tivéssemos feito antecipadamente um programa, poderíamos ter encontrado um hotelzinho com piscina e nos divertido muito. Poderíamos ter comprado um ou dois refrigerantes e um saco de batatas fritas e visto mais sorrisos no percurso.

Estou muito grato por Deus ser um Pai que pensa em tudo. Ele planejou e arranjou previamente cada passo da nossa jornada. Está preparado para custear o projeto inteiro e até os acessórios supérfluos. Ele nos levará daqui para lá, incluindo algumas surpresas agradáveis quando o trajeto se alongar e o espírito abater-se.

CAPÍTULO DEZESSETE

ELE ESTÁ ME HUMILHANDO PARA ME EXALTAR

*"Porque quando sou fraco,
então é que sou forte."*

2 CORÍNTIOS 12:10

O trem de carga estrondou em nossa calçada e rugiu através da nossa porta da frente.

Olhei para aquilo com olhos incrédulos. O trem de carga era meu filho.

Nós tínhamos acabado de voltar de um culto noturno no domingo. Joyce estava chegando à porta de entrada quando nosso filho passou por ela como um foguete – quase fazendo com que girasse sobre si mesma – e entrou de roldão em casa.

Eu segui aquele trem-menino pela porta, pelo corredor abaixo e até seu quarto. Ele não tinha esperado isso e quando viu minha expressão, pareceu um pouco espantado.

Olhei para ele por um momento, meus olhos penetrando os seus.

– Puxa, você não é mesmo esperto? – disse eu – Sua mãe estava na porta, pronta para entrar, e você quase a derruba tentando entrar primeiro. A maioria dos jovenzinhos teria aberto a porta para a mãe e deixado que ela entrasse primeiro... mas não você!

Ele continuou me olhando, com os olhos abertos e um pouco pálido. Mas eu não havia acabado.

– Espero que não se comporte assim onde quer que vá. E se fizer isso, espero que não anuncie ao mundo o seu sobrenome – Depois de uma pausa tensa, eu disse as palavras seguintes vagarosamente, sabendo como seriam devastadoras.

– Em toda minha vida nunca vi ninguém tão desconsiderado assim.

Lágrimas encheram seus olhos, ele sentou-se na beirada da cama e chorou. Eu me virei e saí do quarto, fechando a porta firmemente atrás de mim. Mas não tinha dado nem três passos no corredor quando senti o Senhor falando comigo.

– Não – o Senhor disse ao meu coração – você está enganado. Seu filho não é a pessoa mais desrespeitosa neste planeta. Você é que é. É você que ganha o prêmio. Se o seu filho é desrespeitoso, é só porque vive na sua companhia. Ele vem observando o seu comportamento e aprendeu muito bem. Por que espera que ele seja diferente de você?

Todo esse incidente se passou em questão de segundos. Na metade do caminho, virei nos calcanhares e voltei ao quarto do meu filho. Ele continuava chorando sentado na cama. Fiquei de joelhos diante do garotinho.

– Filho – disse eu – perdoe-me. Tenho tanto a aprender. Você não é sem consideração, eu sou. Não posso esperar que tenha atitudes em sua vida que não esteja vendo na minha. Por favor, perdoe-me, filho.

Essa experiência humilhante marcou mais a minha vida do que qualquer outra coisa de que posso lembrar e penso que tocou a de nosso filho do mesmo modo.

Deus sabe como fazer isso.

Deus sabe como nos levar de volta à humildade.

Deus sabe como nos restaurar a uma posição de simples dependência dele.

> "DEUS SABE COMO NOS LEVAR DE VOLTA À HUMILDADE."

Em nossos relacionamentos, ele nos leva a passagens muito além da nossa compreensão. Ele permite que entremos em períodos de escuridão onde não existem respostas. Ele nos incube de projetos e responsabilidades ridiculamente além se nossas experiências anteriores, tendências naturais ou habilidades concebidas. Ele coloca em nossas mãos coisas quebradas que não teríamos condições de consertar nem em mil anos.

E ele faz tudo isso por causa da Sua misericórdia. Porque nos ama tanto.

Quem nos conhece melhor do que Deus? Ele sabe que até o ponto em que pensamos poder passar sem Ele, vamos tentar. Enquanto pudermos obter resultados com nossos esforços improvisados, nossos remendos, usando Band-aids, arame e goma de mascar, faremos isso. Enquanto pudermos andar eretos e orgulhosos, evitando dobrar os joelhos, certamente o faremos. Enquanto pudermos nos apegar à boa e velha autossuficiência e individualismo obstinado, será precisamente isso que vamos fazer.

É assim que nós, seres humanos, somos. E é por isso que Ele nos permite ficar tão sobrecarregados em nossa vida de tempos a tempos. Essa é a razão dele nos permitir encontrar muros de granito que não podemos transpor, passar por baixo, rodear, ou atravessar com um sorriso ou piscadela. Em sua grande bondade, Ele continua a mostrar-nos que não podemos administrar essa coisa chamada "vida cristã" sem Ele.

Se o que estiver fazendo hoje não exigir a ajuda de Deus, você está então provavelmente fora da vontade de Deus. Porque o que Ele designar para você será maior do que você. É como se Deus nos dissesse – Muito bem, no auge do seu jogo, dando o seu melhor, você será capaz de fazer 4,2 pontos – ou talvez 4,3 nos limites externos da sua força. A sua responsabilidade, porém, é 10.

Se não sentir que o trabalho que lhe foi atribuído é assim difícil, então simplesmente não compreendeu as suas atribuições.

Se uma boa mãe – do tipo que Deus quer que seja – é na verdade assim difícil. O mesmo se aplica a ser um pai sábio... ou manter os pensamentos puros... ou manter um casamento cheio de amor... ou ser um amigo leal... ou extrair das páginas da Escritura a orientação para a vida... ou trabalhar com todo o seu coração e suas forças para o Senhor, no seu emprego ou na sua escola.

A vida é realmente difícil desse jeito. As exigências e expectativas de Deus são na verdade assim difíceis.

Se examinarmos cuidadosamente os mandamentos que Deus nos dá nas Escrituras, veremos que é necessário o Espírito de Deus vivendo em nós para cumpri-los! Você não acredita? Tente fazer apenas algumas dessas lições de casa com as suas próprias forças.

- Seja sempre humilde e manso (Ef. 4.2).

- Tenha por motivo de toda alegria passar por tribulações (Tg. 1.2).

- Rejubile-se sempre (1 Ts. 5.16).

- Ore sem cessar (1 Ts. 5.17).

- Em tudo dai graças (1 Ts. 5.18).

- Esposas, sejam submissas a seus maridos, como ao Senhor (Ef. 5.22).

- Maridos, amem suas esposas, assim como Cristo amou a igreja (Ef. 5.25).

- Filhos, obedeçam em tudo aos seus pais (Cl. 3.20).

- Tudo quanto fizerem, façam de todo o coração, como para o Senhor, e não para os homens (Cl. 3.23).

- O amor seja sem hipocrisia (Rm. 12.9).

- Abençoem os que os perseguem (Rm. 12.14).

- Façam o que é certo aos olhos de todos (Rm. 12.17).

- Que as suas palavras sejam sempre agradáveis (Cl. 4.6).

- Que todos os seus atos sejam feitos com amor (1 Co. 16.14).

- Amem o Senhor seu Deus de todo coração, de toda a sua alma e de todo o seu entendimento (Mt. 22.37).

Se você pensa que pode seguir esta lista como se estivesse dando uma corrida no parque no domingo, então é porque não entendeu a lista. Qualquer um desses mandamentos deve levar-nos a ficar de joelhos. Dois ou três deles devem fazer com que nos prostremos com o rosto no chão.

Foi por essa razão que concluí que as pessoas que demonstram verdadeira força e poder neste mundo, aquelas que Deus se agrada em exaltar, são as que se submetem a Ele e sabem disso. As que não sabem ou se recusam a reconhecer isso irão eventualmente encontrar-se em grandes apuros.

Lembro-me de um jovem pregador escocês, orgulhoso e egoísta, convidado para pregar diante de uma grande multidão. Ele subiu os degraus do púlpito com os ombros para trás e o peito empinado, vaidoso e confiante. Mas, quando começou a pregar, o sermão não saiu. Os pensamentos não fluíam e as palavras não vinham. Ele fez duas ou três tentativas, perdeu o fio das ideias, começando a gaguejar e balbuciar. Finalmente, depois de quinze minutos torturantes, desistiu. Pegou a bíblia e desceu os degraus, humilhado e desanimado. Os ombros descaíram e a cabeça se inclinou. Quando fazia a sua saída ignominiosa, uma pequena senhora escocesa agarrou-o pelo casaco.

– Menino – disse ela – se tivesse subido da maneira como desceu, teria descido da maneira como subiu!

Em sua segunda carta aos crentes de Corinto, Paulo nos ajuda a enfrentar a dura verdade de que jamais seremos fortes até admitirmos que somos fracos. Considere novamente esta conhecida passagem:

> "E para que não me ensoberbece com a grandeza das revelações, foi-me posto um espinho na carne, mensageiro de Satanás, para me esbofetear, a fim de que não me exalte. Por causa disto, três vezes pedi ao Senhor

que o afastasse de mim. Então ele me disse: A minha graça te basta, porque o poder se aperfeiçoa na fraqueza. De boa vontade, pois mais me gloriarei nas fraquezas, para que sobre mim repouse o poder de Cristo. Pelo que sinto prazer nas fraquezas, nas injúrias, nas necessidades, nas perseguições, nas angústias por amor de Cristo. Porque quando sou fraco, então é que sou forte" (2 Co. 12.7-10).

Vamos examinar mais uma vez o v. 10, desta vez em uma paráfrase:

"Portanto, decidi alegremente orgulhar-me de minhas fraquezas, porque elas indicam uma experiência mais profunda do poder de Cristo. Posso até apreciar as fraquezas, sofrimentos, privações e dificuldades por causa de Cristo. Pois a minha própria fraqueza me torna forte nele" (2 Co. 12.10, Phillips, tradução livre).

Você ouviu o que o apóstolo disse? Posso quase ouvi-lo dizer: "Fraqueza? Essa é a melhor coisa que tenho! Olhe, vou CORRER para essas áreas de fraqueza se isso significar que estou correndo para a força de Jesus Cristo! Estou FELIZ em admitir minhas insuficiências e falhas, se isso significar uma troca das minhas insignificantes habilidades pelas Dele!".

Para falar a verdade, estou familiarizado com este conceito porque esta tem sido a minha experiência por vários anos. Sou a pessoa mais insegura do mundo, mas admito isso. Penso nas inúmeras vezes em que fiquei de joelhos e disse – Senhor, por que me levaste a fazer isto? Tu sabes que não sou capaz. Tu me fizeste pastor desta igreja e ela é grande demais para mim! Tu me destes essas imensas responsabilidades e isso é ridículo. Se não tomares uma providência agora, sou um homem morto.

Você pode sentir-se totalmente fraco e inadequado para realizar a tarefa que Deus lhe deu, se admitir este fato perante o Senhor, Ele irá ajudá-lo! Deus dirá – Enquanto eu estiver trabalhando nessa sua insuficiência, vou fazer com que tudo corra bem para você. – Mas, se, por outro lado, você se recusar a admitir suas fraquezas, então – em Seu amor, Ele irá expô-lo como é, irá expor a sua fraqueza. Que pensamento amedrontador!

Você se lembra da história contada por Jesus sobre dois homens que estavam no templo, orando ao Senhor? Um deles era um fariseu confiante e o outro um desprezado cobrador de impostos.

"O fariseu, posto em pé, orava de si para si mesmo, desta forma: Ó Deus, graças te dou porque não sou como os demais homens, roubadores, injustos e adúlteros, nem ainda como este publicano; jejuo duas vezes por semana e dou o dízimo de tudo quanto ganho. O publicano, estando em pé, longe, não ousara nem ainda levantar os olhos ao céu, mas batia no peito, dizendo: Ó Deus, sê propício a mim, pecador!"

A conclusão do Senhor?

> "Digo-vos que este desceu justificado para sua casa, e não aquele; porque todo o que se exalta será humilhado, mas o que se humilha, será exaltado" (Lc. 18.11-14).

Quando pensamos no assunto, ninguém é salvo até que ele ou ela admita ser um pecador sem esperanças, completamente perdido, e incapaz de levantar um dedo para ajudar ou defender a si mesmo. É justamente nesse ponto que Deus oferece Sua justiça ofuscante e brilhante em troca do nosso pecado e vergonha. Como poderíamos pensar que as coisas fossem diferentes desde que vivemos nele? Como podemos voltar à nossa autossuficiência? Paulo disse aos Gálatas: "Sois assim insensatos que, tendo começado no Espírito, estejais agora vos aperfeiçoando na carne?" (Gl. 3.3).

Quando admitimos francamente a nossa fraqueza, nos tornamos candidatos para o Seu poder.

Quando reconhecemos livremente nossa insuficiência, podemos participar da Sua competência – Daquele que "faz tudo bem".

Quando finalmente admitimos nossas arestas chanfradas e embotadas, podemos tornar-nos um instrumento útil e aguçado em Sua mão.

Tive de ser lembrado desse fato recentemente, quando me levantei para falar a uma audiência de duas mil pessoas. Sorri, limpei a garganta e depois percebi que todas as minhas notas estavam no escritório do pastor e eu não conseguia lembrar nada do que deveria dizer.

Você talvez pense que sou o tipo de sujeito que apenas abre a boca e deixa que Deus a encha. Nada disso. Continuei sorrindo e perguntei aos presentes se eles se importavam de cantar mais um hino ou dois enquanto eu ia buscar as minhas notas. Eles que não se importavam.

Ao voltar do escritório do pastor, com as notas nas mãos, agradeci ao Senhor por termos tirado isso do caminho e disse que estava agora pronto para ser usado por Ele.

Conforme as coisas aconteceram, eu estava pronto e Ele me usou.

Algumas vezes Ele deixa que você desça do jeito que subiu.

CAPÍTULO DEZOITO

ELE ESTÁ ME CHAMANDO PARA A SANTIDADE

"Segundo é santo aquele que vos chamou, tornai-vos santos também vós mesmos em todo procedimento."

1 PEDRO 1:15

Slick era um cachorro cristão.

Pelo menos era isso que os filhos dos Updike diziam, e deviam saber por que Slick morava na casa deles. O raciocínio dos garotos era este: Slick pertencia aos Updikes e os Updikes eram uma família cristã. Portanto, por associação, Slick – à sua maneira canina – deveria certamente ter abraçado a fé.

Os Updikes moravam em Winterset, Iowa, na zona rural, onde a maioria das casas tinha pelo menos um cão e no geral dois ou três. Meu amigo, Chuck Updike, que serve agora na nossa equipe pastoral em Beaverton, era pastor em Winterset na época. Embora a família tivesse possuído vários cães durante a sua estada em Iowa, não havia cão como Slick, pelo seu temperamento doce e caráter autêntico. Essa era outra razão dos filhos de Chuck insistirem em que Slick era crente. Ele vivia a vida, não é? Era sempre obediente, bondoso e fiel, não era? Quem poderia acusá-lo de ser ímpio ou pagão?

Slick tinha sido um presente de aniversário para Mike, um dos filhos de Chuck. O cão foi recebido no seio da família desde pequeno e andava pela casa com toda liberdade que Potifar deu no começo para José. Conhecendo a linhagem mestiça do cachorro, parte Labrador, parte cão de pastor Shetland, Chuck gosta de dizer que Slick é pelo menos inteligente. Ele afirma isso porque possui um Labrador legítimo que não é nada esperto.

Qualquer fosse a sua proeza intelectual, Slick demonstrava certamente todos os sinais de dedicação sincera. Segundo todas as aparências externas, ele imitava gravemente a fé e a integridade que a família representava na vizinhança. Afinal de contas, era um Cão Pregador; e não adiantava fingir que não estava sendo observado de perto.

Em um certo mês de setembro, o Senhor abençoou Chuck e sua família com um carpete novo na casa pastoral. Bárbara, a dona da casa, decidiu que Slick teria de observar algumas novas limitações. Por mais que gostasse de animais, ela resolveu que estava na hora de limitar o cão à área da cozinha, o corredor dos fundos e a parte de fora... negando-lhe entrada aos cômodos recém-carpetados da casa.

Slick, teve de ser naturalmente treinado a pisar no tapete. Mas, mais depressa do que seria de esperar, ele aceitou a regra. Com obediência e humildade características, o cão Updike aceitou sua sorte. Os Updikes faziam suas atividades nas salas carpetadas e Slick ficava deitado na beirada do carpete, no chão de madeira da cozinha. Embora olhasse para seus entes queridos com olhos pedintes, não cometia transgressões. Ele evidentemente sabia que embora se tratasse de uma questão de centímetros, havia um "grande abismo demarcado" entre o chão da cozinha e as áreas carpetadas da casa. De vez em quando, quando a família saía para comer ou assistir um jogo de bola, eles deixavam Slick como guarda, do lado de dentro. Quando voltavam, encontravam o fiel e obediente Slick em seu lugar determinado no chão da cozinha.

Os Updikes estavam mais convencidos do que nunca da veracidade de Slick. Seu compromisso parecia verdadeiro. Ele era certamente o cão cristão mais consistente que tiveram o privilégio de possuir.

Chegou então a noite em que a hipocrisia vergonhosa do cãozinho se evidenciou.

A família acabara de voltar do culto noturno de domingo e, entrando na cozinha, encontraram Slick no seu lugar habitual no chão. Ele levantou os olhos, abanou a cauda e recebeu os afagos da família. Ele parecia dizer, aqui estou, o seu cão leal.

Guardião da casa e amigo de todos; todavia, jamais esqueço meu lugar inferior.

Quando Chuck se encaminhou para o quarto, porém, ele olhou por acaso para a sala de estar. Um movimento chamou sua atenção. O que era? Era a cadeira de balanço que estava ainda balançando devagarinho, como se alguém acabasse de sair dela.

Isso não era curioso?

Quando Chuck chegou perto da cadeira, ele notou também que ela estava diante da janela panorâmica. Quem quer que estivesse sentado (ou deitado) ali teria uma vista perfeita da rua em frente à casa. Quem estivesse nela veria o carro da família entrando pelo portão. Ele olhou para Slick e o cão aparentava sua expressão mais honesta e franca. Mas, de repente, a máscara pareceu um tanto frágil. Naquela ocasião, Slick não havia pulado da cadeira a tempo de encobrir suas pegadas. Ele apenas se aproveitara de um momento extra de repouso no cômodo proibido e foi isso que o desmascarou.

A família Updike chegou à triste conclusão que Slick não era tão obediente como tinham sido levados a crer. A demonstração do seu caráter na ausência deles não era a mesma que na sua presença.

O apóstolo Paulo falou exatamente sobre isto quando escreveu aos cristãos de Filipos:

> "Assim, pois, amados meus, como sempre obedecestes, não só na minha presença, porém muito mais agora na minha ausência, desenvolvei a vossa salvação com temor e tremor; porque Deus é quem efetua em vós tanto o querer como o realizar, segundo a sua boa vontade" (Fp. 2.12-13).

Em outras palavras, à medida que Deus trabalha em sua vida, você se tornará cada vez mais consistente. Não obedecerá apenas quando sabe que alguém o está observando, será ainda mais obediente quando estiver sozinho com o seu Senhor, sabendo que os Seus olhos estão sobre a sua pessoa.

Mas, não perca de vista o encorajamento deste versículo! Deus está operando em sua vida. O poder de Deus está atuando em você. O Deus que trabalha no turno da noite está ocupado fazendo cirurgia reconstrutiva em seu caráter. Ele está lhe dando a força e o desejo de segui-lo mais de perto. Conforme a interpretação de J.B. Phillips do v. 13: "Pois é Deus que está trabalhando em você, dando-lhe a vontade e o poder de realizar seu propósito" (tradução livre).

Uma das maneiras em que Ele trabalha em você é enfatizando as suas "falhas de caráter", aquelas ocasiões em que você realmente fala mais alto do que diz que fala. Penso que Ele usa pelo menos três métodos para fazer isto em nossa vida.

1. Ele argumenta silenciosamente conosco. O Senhor toma tempo para revelar amavelmente aquelas áreas em nossas vidas que são inconsistentes com a Sua natureza santa. Sabendo o Pai que Ele é, penso que ele prefere ter este tipo de conversa em particular. Ele é a espécie de Pai que gostaria de levá-lo para um longo passeio, sentar-se com você no alto de um morro, e expressar suas preocupações com o seu caráter de maneira terna e encorajadora. Se passássemos esses longos momentos silenciosos na Sua presença, examinando a sua palavra, e buscando a sua face em oração sincera, creio que Ele iria comunicar o que precisamos saber sobre nossos corações mediante o sussurro do Seu Espírito Santo. Ele nos lembraria da sua palavra e do compromisso de servi-lo e segui-lo naquela incomparável e inconfundível voz "macia e suave" que fala das profundezas do nosso espírito.

Meu amigo Ted falou-me a respeito de uma visita que fez a um lar na zona rural, no oeste do Canadá. Enquanto se encontravam na cozinha, durante o preparo do jantar, um amigo que o acompanhara na visita, chamou Ted de lado, longe do alcance dos ouvidos da família.

– Nesta parte do Canadá – disse ele – é educado tirar os sapatos quando se entra em uma casa. Ninguém usa sapatos dentro de casa. Isso é considerado uma ofensa.

Quando meu amigo olhou em volta, viu que realmente todos usavam chinelos ou estavam de meias. Os sapatos dos membros da família se encontravam enfileirados junto à entrada. Ted sentiu-se constrangido. Ele andara pela casa com os sapatos enlameados, provavelmente deixando pegadas e ofendendo os anfitriões. Não notara que ninguém usava sapatos! É claro que foi imediatamente para a entrada e tirou os sapatos. A família, discretamente, não deu qualquer indício de ter notado a ofensa.

Penso que é assim que o Espírito Santo prefere comunicar-se conosco. Ele quer chamar nossa atenção, levar-nos a um lugar tranquilo, e com todo tato mostrar que estivemos andando para cá e para lá com os sapatos sujos e deixando marcas no tapete.

Mas o que acontece quando fechamos os ouvidos à Suas delicadas censuras?

2. Ele pode permitir que sejamos expostos e embaraçados. Se nos recusarmos a ouvir o Seu sussurro, se nos recusarmos a abrir as nossas vidas para o Seu olhar penetrante e expor nossos caminhos ao gume cortante da Sua Palavra, Ele encontrará outros meios de comunicar essas falhas de caráter. Ele nos ama demais para deixar que permaneçam. E os métodos que talvez seja obrigado a usar para lembrar-nos da nossa hipocrisia, nem sempre serão confortáveis. Podem até envolver alguma humilhação.

Há alguns anos eu estava no centro da cidade de Portland, andando apressado pela calçada para chegar na hora a um encontro. Ao levantar os olhos vi um rosto familiar se aproximando de mim. Era um homem que eu conhecera na escola secundária, no grupo da juventude, em Minnesota. Que surpresa! Sorri e apressei o passo, ansioso para cumprimentá-lo depois de tantos anos. Depois notei que ele estava fumando e, na mesma hora percebi que ficaria embaraçado ao ver-me. Quis atravessar a rua e poupar-lhe isso, mas era tarde demais. Ele olhou na minha direção e me reconheceu.

Uma coisa estranha aconteceu, porém, quando a distância que nos separava diminuiu. Meu velho amigo abaixou a cabeça e cobriu o cigarro aceso com a mão; segurou-o por um momento e depois colocou-o no bolso da jaqueta com um gesto casual. Ele tentou disfarçar e ser discreto, mas só conseguiu ser óbvio e ridículo.

– Ron! – sorriu ele – Que surpresa! Mal posso acreditar. Que bom ver você.

– Jeff – disse eu – o que está fazendo aqui em Portland?

Conversamos um pouco. Ele ficou segurando o lado do corpo com a mão. Eu sabia que provavelmente ia ficar uma queimadura feia. Durante toda nossa conversa, uma fumacinha indiscreta saía do bolso da jaqueta. Em um momento perverso pensei em continuar a conversa só pra ver se o casaco dele pegava fogo. Mas desisti. Meu velho amigo já sofrera o bastante. Deixei que seguisse o seu caminho e eu segui o meu. Nunca mais o vi desde então.

Por que Jeff fez algo tão ridículo? Por que ele correu o risco de machucar-se e fazer papel de tolo por causa de um cigarro?

Porque ele queria que eu pensasse algo sobre ele. Algo que não era mais verdade.

Ele queria que eu acreditasse que continuava sendo o mesmo Jeff que eu conhecera há muito tempo e em um lugar muito distante. Queria que eu acreditasse que continuava tendo o mesmo compromisso fervoroso com Jesus Cristo que tivéramos quando meninos. Queria que acreditasse que ele tinha as mesmas prioridades e a mesma perspectiva de vida que demonstrara quando era um jovem dedicado. Ver o cigarro me teria feito duvidar um pouco. Vê-lo esmagar aquela coisa acesa na mão e colocá-la no bolso, não deixou qualquer sombra de dúvida. Não me entenda mal. A questão não é se meu amigo Jeff devia fumar ou não. É uma questão de hipocrisia, de ter uma vida em particular e outra em público.

Quando nos tornamos hipócritas? É quando perdemos a sensação da presença ativa de Deus conosco. Quando nos preocupamos mais com o que os outros pensam de nós do que com o que nosso Senhor e Salvador pensa de nós, é que estamos em terreno perigoso. Creio que uma das coisas que Deus faz no turno da noite é revelar essas nossas inconsistências perigosas. Ele fará isso com gentileza e brandura se permitirmos; caso contrário, encontrará outros meios que talvez não nos agradem de jeito nenhum.

Você tem um amigo cristão íntimo que o ama suficientemente para fazer-lhe perguntas desconfortáveis? Se for homem, tem um irmão que tome café da manhã com você e converse de vez em quando sobre as coisas difíceis que ambos tem de enfrentar? Se for mulher, tem uma irmã no Senhor que se sinta com permissão para observá-la e fazer perguntas sobre certas arestas de sua vida? Esses relacionamentos podem ser uma grande proteção! A Escritura nos ordena: "exortai-vos mutuamente cada dia... a fim de que nenhum de vós seja endurecido pelo engano do pecado" (Hb. 3.13).

Romanos 3.23 afirma que todos pecamos e deixamos continuamente de alcançar o alvo. O que Deus quer é que concordemos com Ele sobre esse fato, confessemos nossas falhas e nos agarremos novamente a Ele para podermos andar pelo caminho direito. Se nos recusarmos a isso, Ele tomará às vezes medidas mais fortes para nos fazer recuar.

3. Ele pode usar o sofrimento para nos levar em direção à santidade. Quando Pedro escreveu a sua primeira carta aos crentes dispersos através do mundo romano, ele sabia muito bem quais eram as terríveis provações que eles estavam passando. Por causa da fé, muitos desses homens e mulheres haviam perdido casas, propriedades, sustento e até membros da família. Uma das principais verdades que Pedro incluiu na sua carta a esses sofredores é esta: deixem que a sua dor seja um agente purificador em seu coração. Deixem que as circunstâncias esmagadoras que surgirem à sua frente os empurrem cada vez mais para um estilo de vida santo.

O apóstolo lembra os leitores de que uma herança brilhante os aguarda nos céus em futuro próximo e que o próprio Deus irá levá-los ao seu destino. Ele continua dizendo:

> "Nisso exultais, embora, no presente, por breve tempo, se necessário, sejais contristados por várias provações, para que o valor da vossa fé, uma vez confirmado, muito mais precioso do que o ouro perecível, mesmo apurado por fogo, redunde em louvor, glória e honra na revelação de Jesus Cristo" (1 Pe. 1.6-7).

Alguma coisa está acontecendo na sua vida, diz Pedro, que irá aniquilar a hipocrisia, o fingimento e o compromisso superficial. Isso, afirma ele, irá entristecê-los e afligi-los por algum tempo, mas esse processo de purificação deixará ouro puro em seu lugar, cujo valor é eterno.

Pouco depois ele faz este desafio:

> "Como filhos da obediência, não vos amoldeis às paixões que tínheis anteriormente na vossa ignorância; pelo contrário, segundo é santo aquele que vos chamou, tornai-vos também vós mesmos em todo vosso procedimento, porque escrito está: Sede santos, porque eu sou santo... Despojando-vos, portanto, de toda maldade e dolo, de hipocrisias e invejas, e de toda sorte de maledicências" (1 Pe. 1.14-16; 2.1)

Pedro passa a declarar que é muito melhor sofrer por ser um cristão fiel do que por ser um criminoso insensato! Mas, qualquer seja o motivo do sofrimento entrar em sua vida, permita que ele o leve de volta a um andar humilde com um Deus santo. Este é o resultado final:

> "Humilhai-vos, portanto, sob a poderosa mão de Deus, para que ele, em tempo oportuno, vos exalte, lançando sobre ele toda a vossa ansiedade, porque ele tem cuidado de vós" (1 Pe. 5.6-7).

Não é ótimo que Ele revele esses nossos pecados e "falhas de caráter" aos poucos, em lugar de nos defrontar com todas as nossas deficiências de uma só vez?

Pense no que aconteceu com o profeta Isaías. Ser chamado repentinamente à presença do Senhor foi um pesadelo para ele. Encontrar-se instantaneamente de pé diante do trono santo de Deus! "Ai de mim!", ele gritou com medo e desespero, "estou perdido! Porque sou homem de lábios impuros, habito no meio dum povo de impuros lábios, e os meus olhos viram o Rei, o Senhor dos Exércitos" (Is. 6.5).

Sob um raio de luz esplendorosa dos céus, Isaías viu subitamente o seu próprio pecado e fraquezas. Era como se estivesse dizendo, – Sou um profeta de Deus, um porta-voz do Senhor Todo-Poderoso, e não posso sequer controlar minha língua!

Qual o problema do profeta de lábios impuros? Maldições? Queixas? Maledicências? Julgamento severo de outros? Anedotas picantes? (Tenho dificuldade em visualizar isso!) O que quer que fosse, ele se sentia horrivelmente exposto e esmagado pelo desespero. "Sou um homem morto! Estou acabado!"

Isaías passara diretamente das planícies sombrias do planeta Terra para o âmago dos esplendores celestiais. Não é de admirar que estivesse "perdido"! Eu teria gritado a mesma coisa – ou pior. Teria tentado me arrastar para baixo do tapete celeste, e você também.

A questão foi esta: quando Isaías viu Deus como Ele realmente é, na mesma hora viu a si mesmo como não era. Isso foi revelado em uma única explosão de glória, incandescente, que ardia nos olhos.

Há pouco tempo, os soldados e marinheiros sobreviventes dos primeiros programas atômicos em nosso país, se apresentaram para contar suas histórias espantosas. Abaixados em abrigos de cimento, bem distantes do Campo Zero, alguns desses homens contaram como fecharam os olhos e esconderam o rosto nos braços pouco antes da explosão. Todavia, no brilho penetrante da detonação atômica, eles disseram que viram os ossos dos braços através das pálpebras fechadas.

Deus não faz isso conosco.

Se Ele revelasse todas as nossas fraquezas, hipocrisias e falhas de caráter ao mesmo tempo, iríamos cair em desespero. Teríamos de gritar, "Ai de mim! Estou perdido!"

Como Ele é bondoso e amável conosco! Quando andamos com Ele, quando atendemos ao Seu Espírito, Ele nos revela pequenas coisas. Pequenos lapsos. Pequenas mentiras. Pequenos fingimentos. Pequenos exageros. Pensamentos extraviados e de-

> "QUANDO DAMOS O PRIMEIRO PASSO FORA DO CAMINHO, ELE NOS AVISA, A FIM DE NÃO CAIRMOS EM ALGUM PRECIPÍCIO."

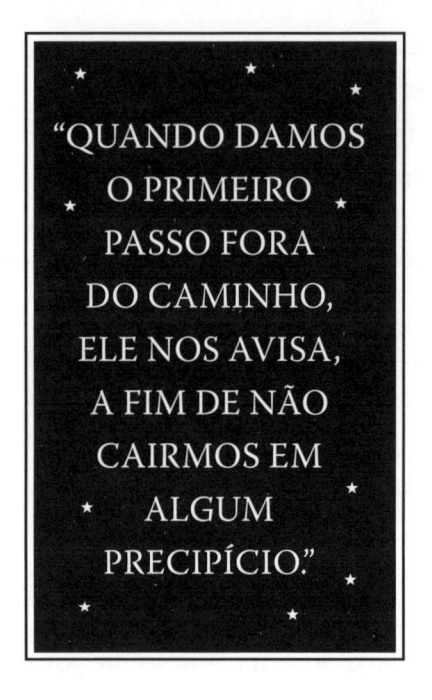

sejos impuros. Quando damos o primeiro passo fora do caminho Ele nos avisa – a fim de não cairmos em algum precipício.

Quando o buscamos, a maioria de nós só irá ver pequenos lampejos dessa Presença santa e sublime. Ao lermos, por exemplo, um capítulo da Bíblia dizemos – Está certo. Ele diz mesmo isso. Ele me pede para fazer isso – e não tenho feito. Ajuda-me, Senhor, a fazer com que a minha vida corresponda àquilo que Tu dizes.

E Ele nos dará uma ou duas coisas para aplicar em nossa vida, antes de nos mostrar outro ponto em que devemos trabalhar.

Não é agradável ver a sua hipocrisia exposta diante dos outros. Você se sente realmente ferido quando as pessoas percebem que aquilo que pretendeu ser não é aquilo que realmente é, em absoluto.

Pergunte ao Slick. Ele perdeu o lugar de primeiro cão da casa para ocupar o de tolo hipócrita em uma só noite.

Os Updikes se perguntam agora se ele era verdadeiramente um crente no final das contas.

CAPÍTULO DEZENOVE

ELE ESTÁ PREPARANDO UM LUGAR PARA MIM

"Não se turbe o vosso coração."

JOÃO 14:2

"Não se turbe o vosso coração..."

Em vista do que acabara de dizer-lhes, isso parecia pedir demais.

Não ficar perturbado? Claro que estavam perturbados! Doentes de preocupação. Paralisados com a preocupação. Fora de si com o problema.

"Credes em Deus, crede também em mim..."

Como é que você pode confiar em qualquer coisa ou alguém quando a única vela do seu pequeno barco foi arrancada do mastro por um vendaval súbito no meio de um mar bravio? Como confiar quando a sua casa de sonhos cuidadosamente construída está prestes a desmoronar?

"Na casa de meu Pai há muitas moradas. Se assim não fora, eu vo-lo teria dito. Pois vou preparar-vos lugar..."

Foi como se um golpe repentino de vento apagasse cada lâmpada do cenáculo. Os discípulos se viram em uma escuridão que envolvia diretamente a alma. Seu Senhor, Herói, Mestre, Messias, e Companheiro amado de três anos e meio acabara de dizer-lhes que estava indo embora. E para onde ia, disse Ele, eles não poderiam ir durante algum tempo.

E depois disse que não se perturbassem!

Em seguida contou-lhes o que estaria fazendo enquanto eles lutavam em um turno da noite de tristeza, sofrimento e perplexidade.

Ele ia preparar um lugar para eles. Se pensassem nesse lugar futuro, e nesse tempo futuro em que Ele ia voltar e levá-los para Casa eternamente, a tristeza deles seria suportável. Encontrariam novamente espaço para a esperança em seu coração. O turno da noite não seria tão longo.

Lembro-me da grande atividade em nossa casa quando Joyce ficou grávida de nosso primeiro filho. Éramos pastores jovens e morávamos em um pequenino apartamento no nordeste de Portland. Tão logo soubemos que estávamos "grávidos", Joyce começou a limpar o "quarto de hóspedes" com um zelo que eu não conseguia compreender ou apreciar plenamente. Eu sabia que o bebê tinha de ter um lugar para ficar, mas... o Quarto de Hóspedes tinha sido praticamente meu. Era ali que guardava meus tacos de golfe e raquetes. Minha velha poltrona também fora colocada nele e meus poucos e amados livros. Minhas fitas e troféus de atletismo se achavam nas prateleiras presas à parede. Também continha meus álbuns com todas as lembranças da escola secundária e faculdade e algumas velhas fotografias das quais gostava.

Não pude acreditar em meus olhos quando Joyce começou a guardar tudo em caixas. Ela nem pensava em dar a um sujeito um pouco de tempo para se acostumar com a ideia de um bebê ainda invisível me atirar para fora do meu querido Quarto de Hóspedes. Quando tudo tinha saído do quarto e posto em caixas, ela começou a esfregar cada centímetro do cômodo com Lysoform e a dedetizar tudo – como se quisesse remover qualquer traço de seu antigo ocupante.

Depois se pôs a encortinar as janelas e a pintar como se não houvesse amanhã. Ofereci ajuda – realmente fiz isso – mas ela não parecia querer que eu nem chegasse perto do meu velho refúgio.

– Você almoçou com George Leiberman, não foi? Os filhos dele parecem ter infecção crônica do ouvido e não quero que nenhum micróbio entre no quarto do nenê. Por que não vai relaxar na sua poltrona favorita e ler um livro?

– Gostaria de fazer isso, mas a minha poltrona está na garagem e meus livros foram guardados em um lugar qualquer.

– Está bem, obrigada pelo oferecimento de qualquer jeito, querido.

Nenhum micróbio ousaria entrar naquele quarto! E mesmo que não tivéssemos praticamente nenhum dinheiro, Joyce deu um jeito de arrumar aquele cubículo de modo a parecer uma combinação de Disneylândia com uma Convenção de ursinhos. Ficou lindo. Quando Ron Jr. finalmente apareceu no mundo, nós estávamos prontos. Joyce gastara todas as suas energias preparando um lugar para esse novo tesouro da família; foi o amor materno que a estimulou a agir, de modo que não conseguiu descansar até que tudo estivesse preparado.

De tudo que o Senhor faz por nós no turno da noite, a coisa mais terna e encorajadora em que posso pensar é esta: Ele está preparando um lugar só para nós na casa de seu Pai. Ele está investindo a Sua energia para aprontar tudo para a nossa chegada.

"E quando eu for, e vos preparar lugar, voltarei e vos receberei para mim mesmo, para que onde eu estou estejais vós também...".

Quando estamos sofrendo, quando não conseguimos encontrar o caminho no escuro, o Senhor gentilmente nos leva de volta a uma perspectiva eterna. Nos dias em que a vida está mais difícil, mais sombria, mais confusa e mais cansativa, Ele nos lembra que tudo que estamos passando é apenas um piscar de olhos em comparação com a eternidade jubilosa, cheia de luz. Há dois mil anos Ele vem preparando um lugar para os seus entes queridos, o qual nem sequer podemos imaginar em nossas mais extravagantes fantasias.

Quando considero essas coisas, gosto de pensar em um homem ocupado que ama muito a esposa. Embora a vida fique caótica e ele tenha de trabalhar longas horas, é suficientemente sábio para dar a mulher algo pelo qual esperar.

– Sei que tem sido uma loucura – ele diz à mulher – Sei que tenho tido de me ausentar muito e não podemos passar tanto tempo juntos como eu gostaria. Mas daqui a três meses vamos para o Havaí. Só nós dois. Já separei o dinheiro. Já consegui alguém para cuidar das crianças. Já fiz as reservas e comprei as passagens. Prometo que faremos isso e vai ser ótimo.

Em vista dessa mulher saber que o marido é homem de palavra, a questão fica resolvida em seu coração. Esta promessa de distração, companheirismo e alegria em futuro próximo irá mantê-la viva em meio à tarefa exigente de cuidar de uma casa, enquanto o marido se ausenta, envolvido em suas ocupações no trabalho.

Era isso que Jesus estava fazendo pelos discípulos naquela noite escura no cenáculo, é isso que Ele faz por nós também, enquanto lutamos com a nossa escuridão e medo no turno da noite. Em Seu amor, Ele fez uma promessa à Sua noiva. Ele comprou as passagens para o céu com seu próprio sangue. Ele fez todas as reservas e arranjos necessários. É um assunto resolvido. Podemos colocar nossas esperanças nesse evento futuro sem medo de decepcionar-nos.

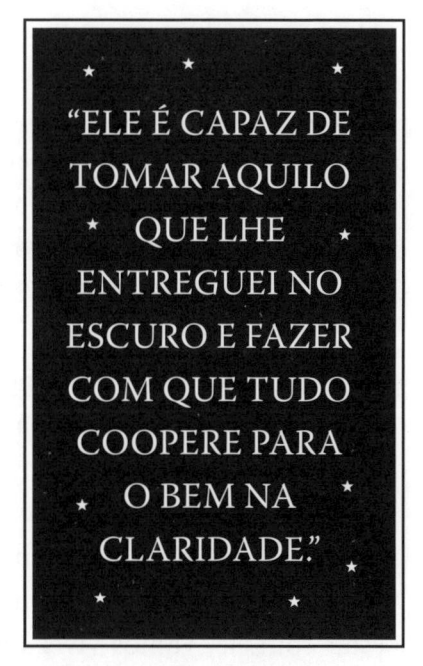

> "ELE É CAPAZ DE TOMAR AQUILO QUE LHE ENTREGUEI NO ESCURO E FAZER COM QUE TUDO COOPERE PARA O BEM NA CLARIDADE."

Não posso descrever como esses pensamentos foram confortadores para mim enquanto escrevia este livro. Bem no meio de tudo, meu melhor e mais querido amigo desde a infância, Roy Hicks Jr. deixou subitamente este mundo e foi para o céu.

Enquanto voava sozinho de Los Angeles para Eugene, Oregon, tarde da noite, o pequeno avião de Roy sofreu uma pane no motor e caiu nas montanhas ao sul de Oregon. Em vez de voar para casa, a fim de encontrar a pequena família em Eugene, Roy voou para estar com Jesus na casa de nosso Pai.

Sinto grande afeto por este homem e sempre sentirei. Rimos juntos, brincamos juntos, oramos juntos e choramos juntos. Sua despedida inesperada tem sido mais difícil e mais penosa para mim do que posso descrever adequadamente em palavras. Eu ainda não "superei" a tristeza, como muitos que me conhecem acham que deveria ter feito. Ainda não cheguei ao outro lado. Acredito que estou melhor, mas o ferimento é ainda muito recente e profundo. Continuo deitando na cama à noite e me preocupando em acordar Joyce com o meu choro. Algumas vezes o sofrimento tem sido tão grande que me pergunto se vai passar algum dia. Já me encontrei pensando: "Acho que a vida não vai mais ter graça. O que vou fazer agora quando estiver em um aperto? Para quem vou telefonar quando surgir um problema? Quem vai perder todas essas bolas novas de golfe comigo?".

"Não se turbe o vosso coração... vou preparar-vos lugar."

Tenho tido de buscar repetidamente a cura do Senhor para um coração perturbado. Uma das coisas que me ajudou nestes dias tumultuados e horrendos, é que eu sei que vou encontrar Roy novamente. O Senhor me prometeu isso. Certo dia, no lugar preparado para nós, estarei novamente com meu velho amigo. Não sei se vamos jogar golfe juntos ou não, mas vou reconhecê-lo e estar com ele. Vamos viver juntos, rir juntos e nos rejubilar na presença do Senhor e em toda a abundância da casa de nosso Pai.

O salmista escreveu:

"Quanto ao homem, os seus dias são como a relva; como a flor do campo, assim ele floresce; pois soprando nela o vento, desaparece; e não conhecerá daí em diante o seu lugar. Mas a misericórdia do Senhor é de eternidade a eternidade, sobre os que o temem" (Sl. 103.15-17).

O Pai sabe que apesar de a nossa vida neste mundo ser muito curta, da nossa perspectiva os dias podem ser, às vezes, longos e pesados. Na bondade de seu coração de Pai, Ele nos deu algo em que pensar, algo pelo qual esperar, algo para ocupar nossa mente e coração, algo a ponderar no escuro.

Jesus, nosso Irmão mais Velho, diz-nos: "Vou preparar tudo para vocês. Vou preparar um lugar para vocês na casa do meu Pai. Estaremos juntos ali. A dor, a tristeza, a frustração e a doença irão desaparecer como as sombras da noite quando o sol desponta. Fiquem firmes! Não vai demorar muito!".

Durante o vergonhoso período da escravidão na história do nosso país, muitos daqueles bons africanos, homens e mulheres, encontraram refúgio no Senhor Jesus. Apesar de a vida no cativeiro ter sido muitas vezes amarga e difícil de suportar, eles descobriram conforto e coragem na sólida garantia de que uma Terra Melhor os esperava pouco além do horizonte. A brilhante esperança do céu iluminou a vida monótona deles aqui na terra. Você consegue ouvir a doce esperança na melodia e nas letras sinceras de suas canções, enquanto trabalhavam nos campos no calor do dia e se sentavam nas varandas de suas cabanas nas noites úmidas de verão?

Vou para casa,

Vou para casa,

Noite tranquila, dia silente,

Vou para casa.

Não é longe, fica bem perto

Pela porta aberta.

Nada mais a temer.

Minha mãe está lá, me esperando

Meu pai também me espera,

Muito amigos ali reunidos

Todos os amigos que conheci.

Se você estiver no escuro agora, viva na luz do céu. Fite nela os olhos, como a luz pura de uma estrela, brilhando no horizonte antes da aurora.

Um pensamento final. Quando pensamos no Senhor "preparando um lugar para nós", pensamos geralmente nele com várias plantas de engenharia na mão, um chapéu na cabeça e talvez seu velho cinto de carpinteiro ao redor da cintura. Eu creio sinceramente que ele está arranjando as coisas para a nossa chegada ao céu. A descrição que Ele usa em João 14, porém, não indica que esteja construindo mansões para um único ocupante na paisagem celestial, como a versão da Bíblia King James parece sugerir. Ele, de fato, está falando de acrescentar quartos na casa do Pai. Nos dias do Novo Testamento, era isso que se fazia quando alguém chegava em uma casa. Você construía mais um cômodo. As pessoas podiam ter os seus próprios quartos, mas a família se reunia na agradável área comum para fazer as refeições e gozar da companhia mútua. Gosto mais dessa descrição do que a de uma pessoa sozinha, perdida em uma imensa mansão dourada em um pico de montanha, e você?

Contudo, em um sentido mais profundo, penso que Jesus estava se referindo a algo mais importante do que tijolos, reboco e tinta. O que Ele queria indicar quando disse, "vou preparar-vos lugar"? Para onde estava indo?

Antes de voltar ao céu, ele foi para a cruz.

Antes de entrar naquela terra de luz eterna, Ele permitiu que suas mãos e pés fossem traspassados pelos cravos romanos e foi pendurado em um instrumento vergonhoso de tortura na mais completa escuridão.

Antes de gozar novamente a alegria da casa do Pai, Ele bebeu a taça da ira de Deus pelos nossos pecados até a última gota.

Ele preparou um lugar para nós dando a Sua vida.

Ele preparou um lugar no céu para nós, sofrendo as agonias do inferno.

Não haveria "lugar" para você ou para mim se Ele não tivesse feito um lugar, morrendo pelos nossos pecados. Foi assim que Ele fez as nossas reservas. Foi assim que Ele comprou nossas passagens para Casa.

Você recebeu esse presente dele? Você aceitou o preço de sangue que Ele pagou para garantir o seu lugar no céu?

De tudo que Ele fez e continua fazendo por nós no turno da noite, antes da aurora daquele dia eterno, não há trabalho maior que este.

CONHEÇA OUTROS TÍTULOS DA EDITORA PROCLAMAÇÃO

Moldado por Deus
Max Lucado

Quando Deus começa a nos moldar à sua Imagem, Ele usa com frequência o calor e a pressão da nossa vida diária a fim de nos transformar em belos instrumentos para o Seu uso.

Nesta clássica coletânea de leituras inspiradoras, o autor de livros de sucesso Max Lucado leva-nos a um passeio pela oficina do Ferreiro – examinando cada ferramenta e dando uma olhada em cada canto, das prateleiras à bancada, da água ao fogo...

Esta é a primeira obra de Max Lucado, escrita quando ele e sua mulher foram missionários no Brasil.

Um Presente para Todos
Max Lucado

Acima de tudo, Deus quer que você fique em Sua companhia. O Deus que planejou o mundo, o Deus que o colocou neste planeta, simplesmente o quer em casa com Ele. Para levá-lo para casa, Ele lhe oferece um presente...O dom da salvação eterna. Se já o aceitou, irá agradecer a Ele novamente. E se nunca o aceitou, oro para que faça isso. Pois é um presente para toda a vida. Um Presente para todos.

Jesus – Visto por João
Paul B. Smith

Os quatro homens que escreveram os evangelhos não tinham o mesmo enfoque. Este é provavelmente um dos fatores que dá tamanha autenticidade ao seu relato. O Espírito Santo os guiou e inspirou, para que não cometessem erros ou se contradissessem.

Mas eles eram diferentes, tanto na abordagem quanto nos pontos de vista mediante os quais observaram os mesmos eventos.

João viu Jesus através de olhos espirituais e ele continua a referir-se aos seus comentários introdutórios que dizem em essência: "Jesus é Deus". A divindade de Jesus e o caminho da salvação são a ênfase de João.

Acompanhe esta fascinante narrativa da vida do Mestre.

Faça Alguma Coisa!
Miles Mc Pherson

Você quer que sua vida valha a pena, mas como? FAÇA alguma coisa pelos outros, é sua opção. Este livro prático orienta cada um de nós a descobrir aquilo para o que fomos especialmente criados para fazer: tornar-nos as mãos e os pés de Jesus na terra... e mudar o mundo.

A hora de agir é agora! O mundo precisa de você, pois está destruído. O seu próximo precisa desesperadamente de ajuda.

Você pode fazer a diferença! É algo que depende de você.

Unidos – Devocional para Casais
Jim & Cathy Burns

Como está indo seu casamento? Descubra uma maneira simples para você e seu cônjuge se conectarem...

Cada leitura deste devocional oferecerá um momento especial para você e seu cônjuge se aproximarem mais um do outro, fortalecendo sua intimidade emocional, física e espiritual, dentro daquilo que Deus propôs para o casamento.

Quebre a rotina e comece a preservar este momento à dois. Será agradável e enriquecedor.

O Cristão Fiel
Billy Graham

O livro O Cristão Fiel (Willian Griffin – Ruth Graham Dienert) da Editora Proclamação trás uma antologia de Billy Graham.

"Creio que este livro é a definitiva coleção dos livros de Billy Graham – Billy foi o milagre do século 20. Durante um período, quando muitos líderes tem caído, Billy tem permanecido fiel a Cristo e ao seu chamado como evangelista em todo o mundo."

RICHARD C. HALVERSON

"Nunca na história houve um pregador que moveu tantas pessoas a aceitar 'O convite de seguir a Cristo'."

REVISTA TIMES

Para mais informações
visite o site **www.editoraproclamacao.com.br**